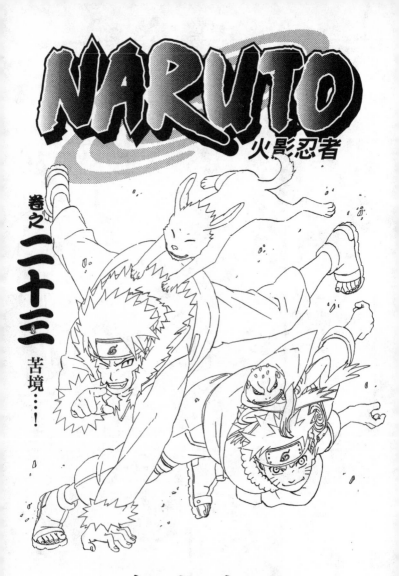

NARUTO

火影忍者

巻之

二十三

苦境…！

岸本斉史

主要登場人物

宇智波
佐助

漩渦鳴人

春野櫻

奈良鹿丸

犬塚牙＆
赤丸

秋道丁次

日向寧次

音之忍者四人組

左近

次郎坊

多由也

鬼童丸

大蛇丸

自來也

藥師兜

君麻呂

綱手

原本是木葉忍者村忍者學校中的問題學生鳴人，終於與佐助、小櫻一起成為忍者了。

卡卡西推薦鳴人等人前去參加中忍選拔考試。鳴人一行人，在第二場考試的考場「死亡森林」裡，遭到神秘忍者大蛇丸的襲擊。

大蛇丸在佐助身上留下咒印之後就消失了。

鳴人與佐助通過「第三場考試」的預選，進入了正式選拔。就在佐助與我愛羅的比賽正在進行時，大蛇丸等人開始進行「毀滅木葉行動」。而最後「毀滅木葉行動」以火影失去自己的性命收場。

經過以兩敗俱傷收場、與大蛇丸之戰鬥後，綱手成為第五代火影。接受綱手的治療而痊癒的佐助，與音之忍者四人組一起離開了木葉忍者村。丁次與寧次在與音之忍者戰鬥後紛紛倒下。其他人能夠成功奪回佐助嗎？

NARUTO
—火影忍者—

卷之二十三
苦境…！

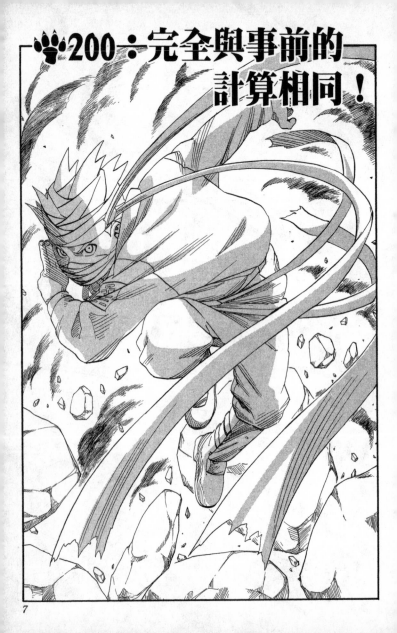

200÷完全與事前的計算相同！

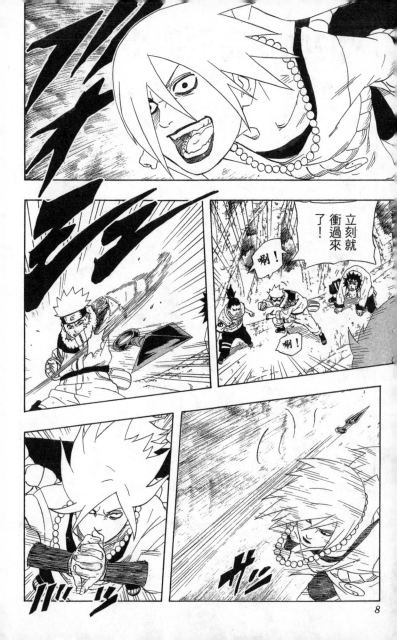

立刻就衝過來了！

啊！

啊！

8

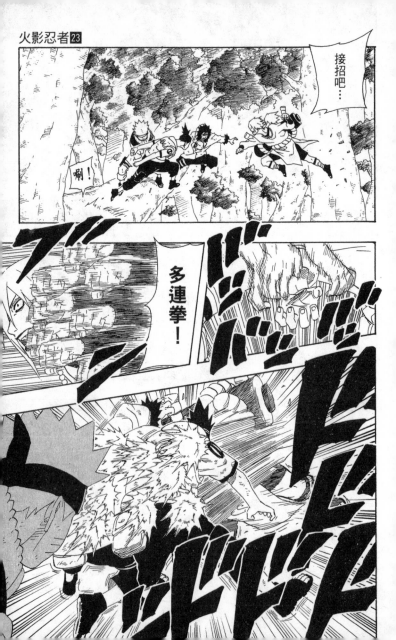

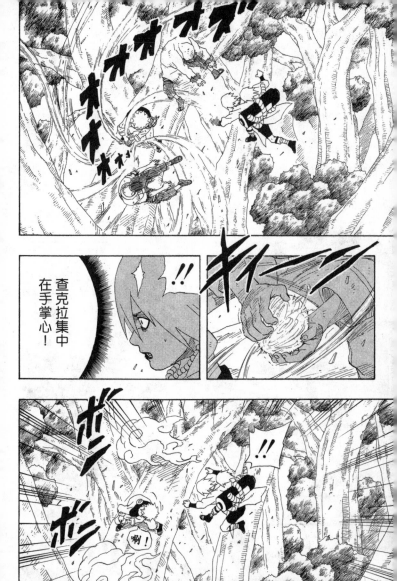

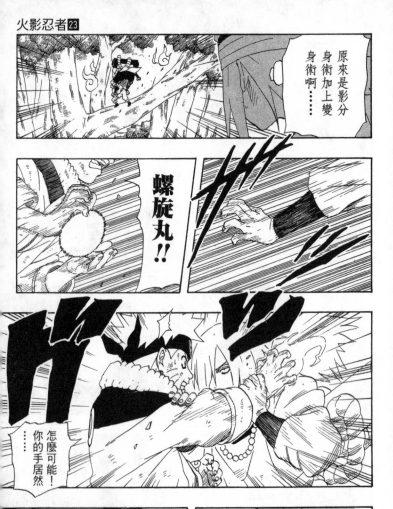

原來是影分身術加上變身術啊……

螺旋丸！！

怎麼可能！你的手居然……

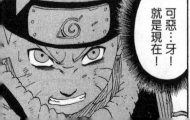

可惡…牙！就是現在！

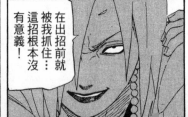

在出招前就被我抓住…這招根本沒有意義！

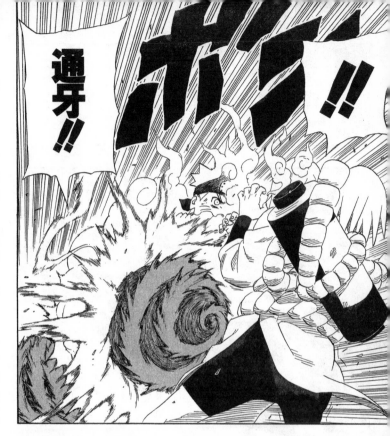

通牙!!

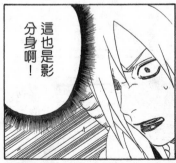

這也是影分身啊!

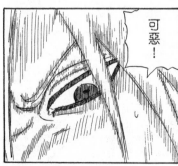

可惡!

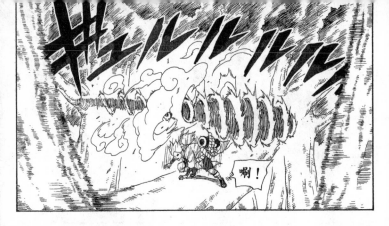

啊！

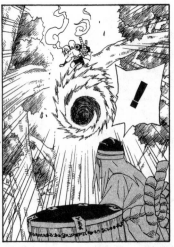

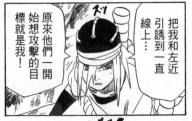

原來他們一開始就想攻擊的目標就是我！

把我和左近引誘到一直線上…

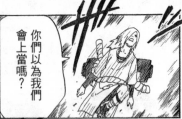

你們以為我們會上當嗎？

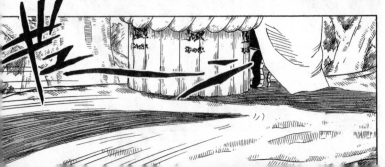

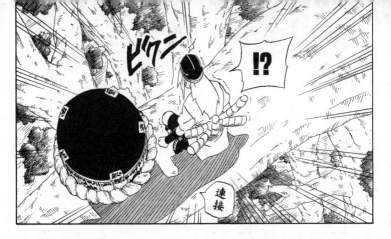

連接

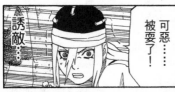

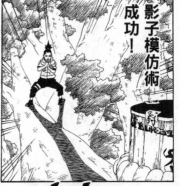

影子模仿術成功！

誘敵……

可惡……被耍了！

他要衝過來了！

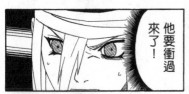

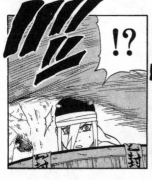

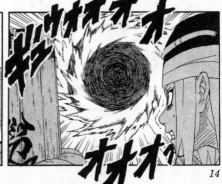

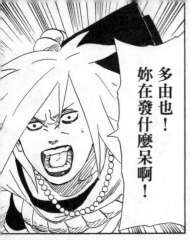
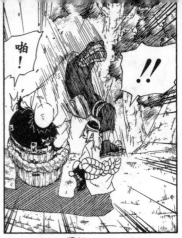

多由也！妳在發什麼呆啊！

啪！

!!

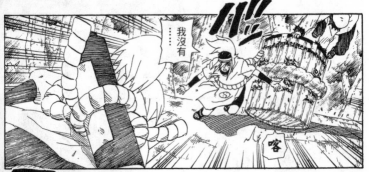

我沒有......

喀

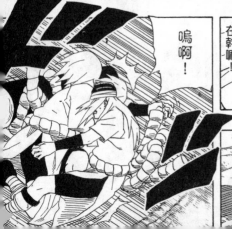

嗚啊！

為什麼要往前走？

可惡......搞不懂她在幹嘛！

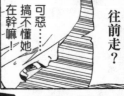

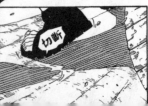

切斷

呼——

接住吧！

果然如我所料⋯你們配合得不是很好。

看來每個人的能力都太強，也是個問題。

完全與事前的計算相同！

和你們比起來⋯我們的團隊精神比你們好太多了。

漂亮啊！

牙！鹿丸！

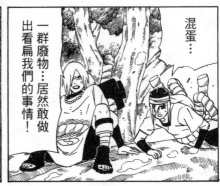

混蛋…

一群廢物…居然敢做出看扁我們的事情！

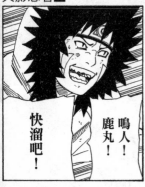

嗚人！鹿丸！

快溜吧！

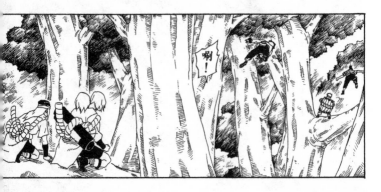

啊！

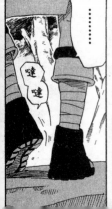

………

嗞嗞

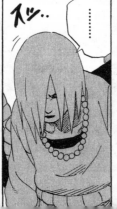

スッ..

………

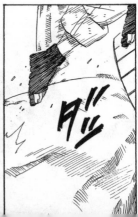

グッ

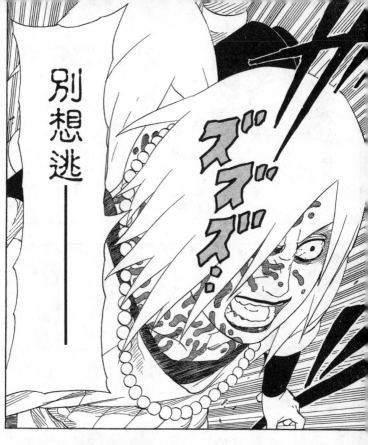

別想逃——

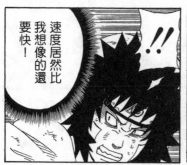

速度居然比我想像的還要快！

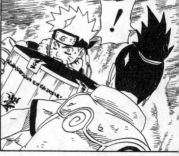

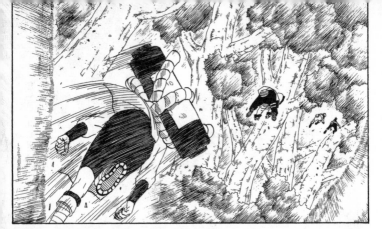

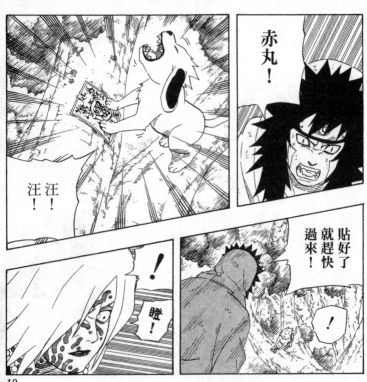

赤丸！

貼好了就趕快過來！

汪汪！

瞪！

19

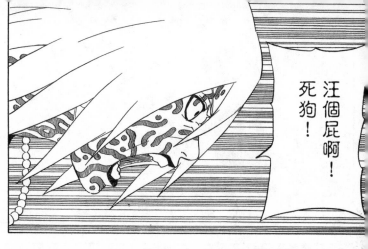

汪個屁啊！
死狗！

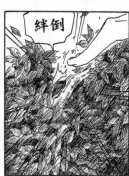

絆倒

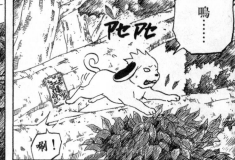

嗚……

吒吒

啊！

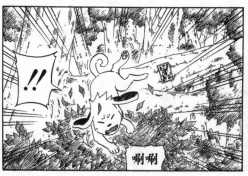

！！

唰唰

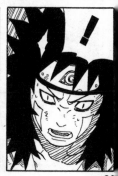

！

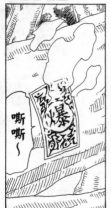

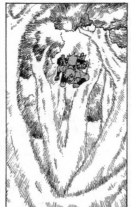

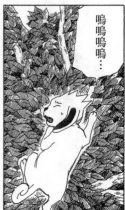

嗚嗚嗚嗚…

嘶嘶～

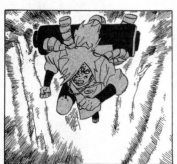

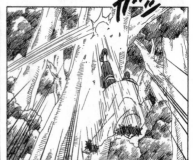

ガッ

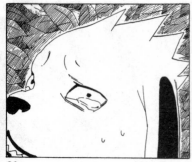

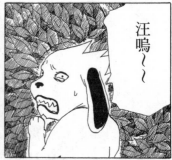

汪嗚～～

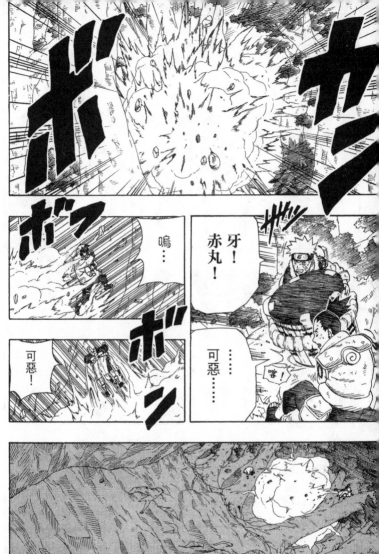

鳴…

牙！
赤丸！

可惡！

可惡……

喀！

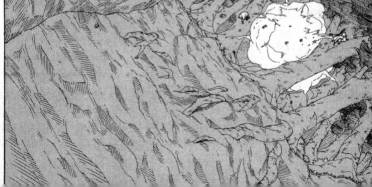

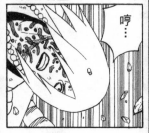

哼…

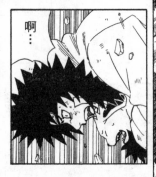

啊…

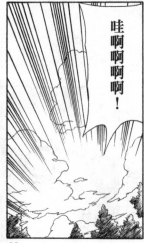

哇啊啊啊啊！

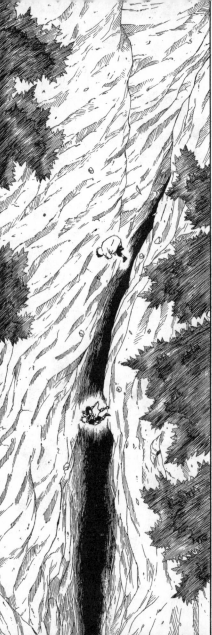

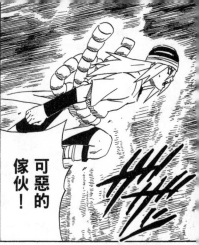

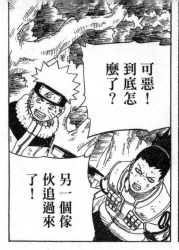

可惡！到底怎麼了？

另一個傢伙追過來了！

可惡的傢伙！

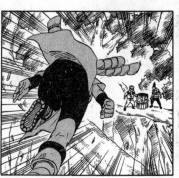

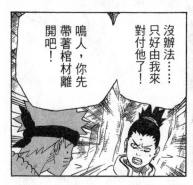

沒辦法……只好由我來對付他了！

鳴人，你先帶著棺材離開吧！

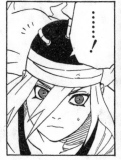

……！

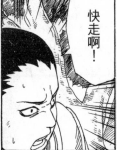

快走啊！

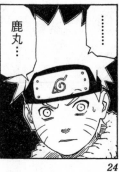

鹿丸…

……

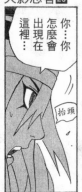

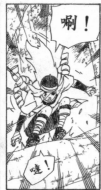

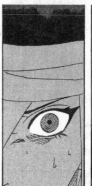

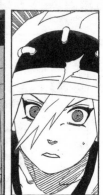

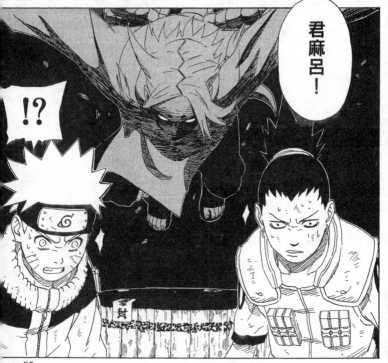

（大阪府　三谷怜央讀者）
○如果是糖果苦無，
那我也想吃吃看！

（台灣　林口婉心讀者）
○這是來自台灣的稿子…好厲
害啊。不過，我看不懂內容…

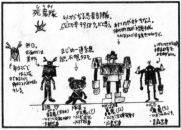

（神奈川縣　金子清之介讀者）
○貍貓鬼幾歲啊？
我好想知道嗯…

（東京都　滿田っち讀者）
○我個人很喜歡這個三人組。

201：計算有誤！

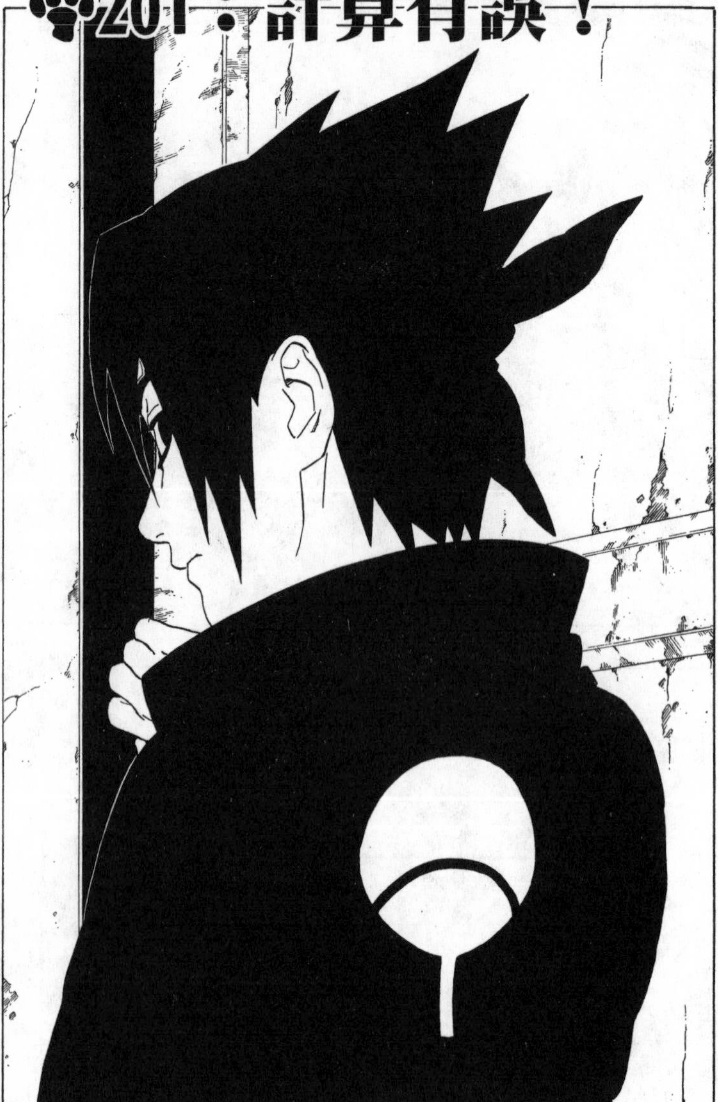

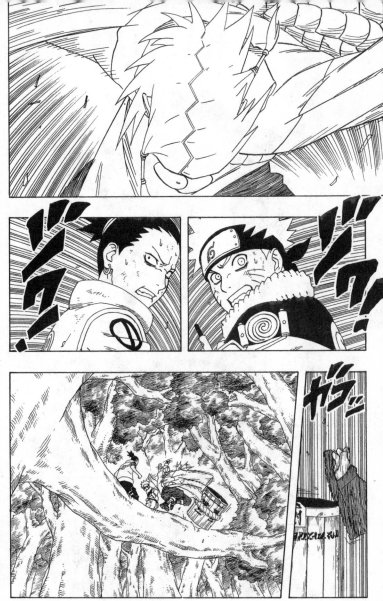

28

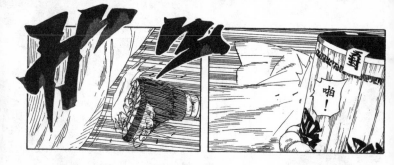

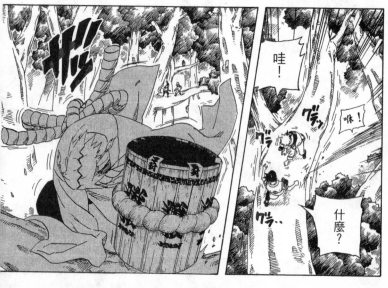

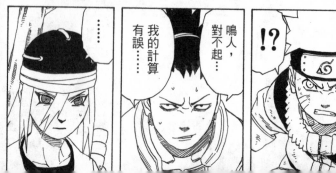

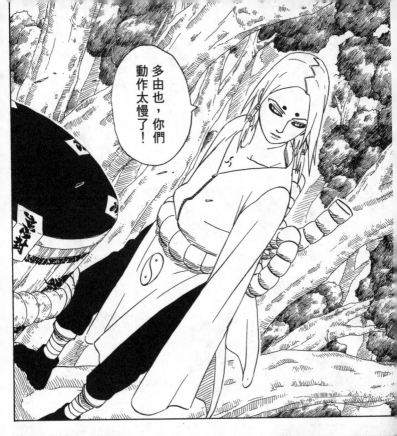

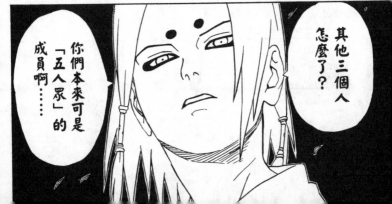

……

⁉

我已經不是在靠肉體行動了，而是靠精神的力量。

唉……

你這沒死成的傢伙……

你……你的身體已經……

你怎麼來了……

現在我已經稍稍體會到……

逃脫肉體這個監牢，以情報生命的方式活下去的感覺……

以及接觸到大蛇丸大人夢想的感覺……

可惡……

大蛇丸！

咬牙！

這個容器是重要的夢幻容器……

但是你們的動作實在是太慢了……

又蹦出個難對付的傢伙……現在要先了解一下狀況，不能輕舉妄動……

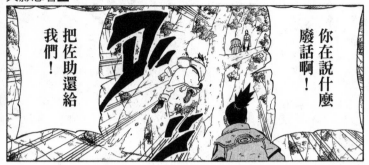

你在說什麼廢話啊！

把佐助還給我們！

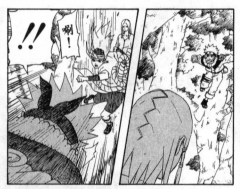

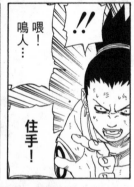

喂！鳴人⋯

住手！

啊！

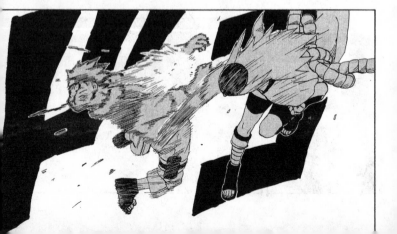

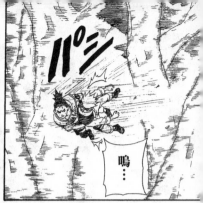

嗚⋯

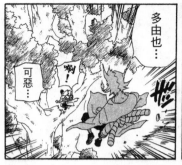

多由也⋯

可惡⋯

咿！

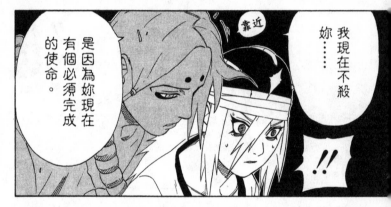

是因為妳現在有個必須完成的使命。

靠近

妳⋯我現在不殺

！！

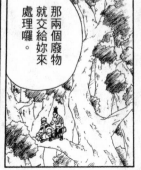

那兩個廢物就交給妳來處理囉。

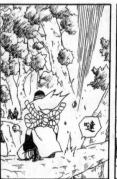

噠

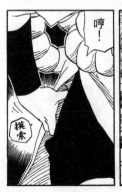

哼！

摸索

啊！

鳴人！
冷靜點！

可惡！

可惡啊！

這是要把佐助
帶回木葉忍者
村的任務。

為了順利完成任務，
我必須選擇最合理的
方式來解決。

35

鳴人！聽好了。接下來照我說的話行動。

哼⋯那傢伙是個只會用近距離型白癡。影分身術的典型

另一個則是會用影子術來束縛住敵人的中距離型忍者⋯而且還是個頭腦聰明的小隊長⋯

可惡！我要迅速地收拾掉你們！

廢物！快動手啊！

知道了⋯

知道了嗎？

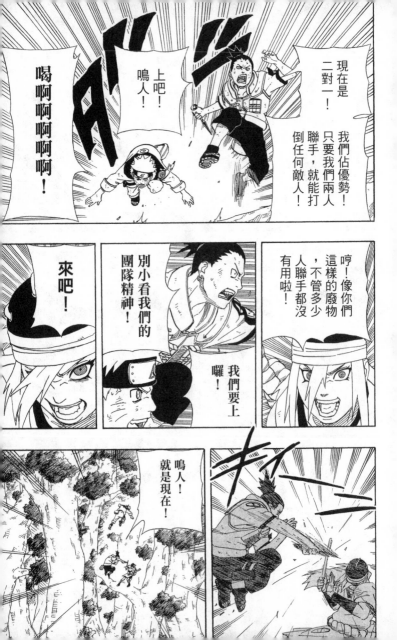

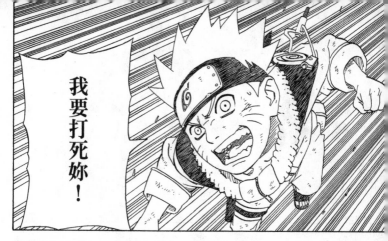

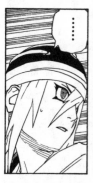
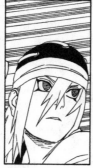
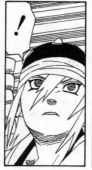
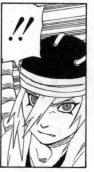

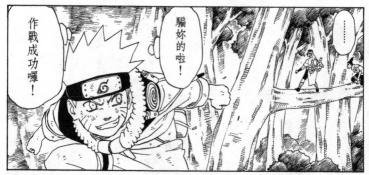

什麼團隊精神！你們這些廢物…

可惡！居然敢騙我！

記住吧，術並不只是一種武器而已。

算了……反正已經讓他逃走了。

用同樣的方法不見得每次都騙得了敵人啊……

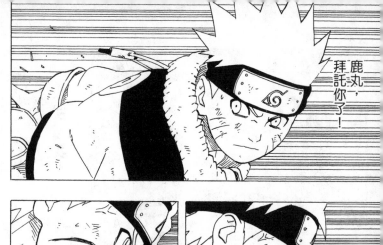

鹿丸，拜託你了！

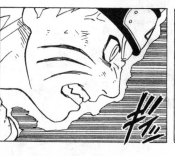

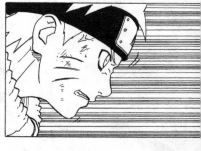

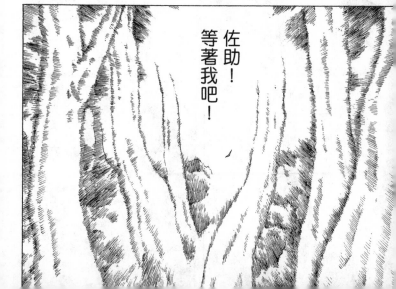

佐助！等著我吧！

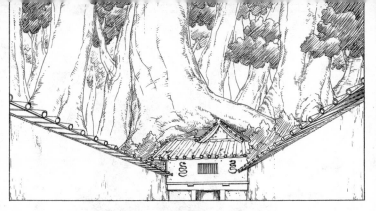

兜，我不知道你對他下了什麼樣的命令，但你好像有點太冷酷了。

他的身體傷成那樣……居然還能動啊……

……他是為了他所崇拜的你而自願行動的。

不，我沒有命令他……因為我不喜歡強迫別人。

你的個性真是討人厭啊。

兜……

他的思想和你一樣，充滿了黑暗……

而且他視你為神，是你的狂熱信徒，又很崇拜你。

大蛇丸大人……對你來說，君麻呂是個完美的存在…

他甚至還是擁有完美又最強之身體的忍者一族的人，而且繼承了血繼限界的正統血統…

不過這已經是過去的事了。

是啊……我現在還是對失去他這件事感到惋惜……

我現在還是認為…君麻呂是我最希望得到的人，也是我最希望得到的身體。

而且……

如果他沒有生病的話，暗殺火影的計畫早就已經成功了。

而你也不必忍受這種痛苦了。

這也只是時間早晚的問題…大蛇丸大人。

……

但是天不從人願……

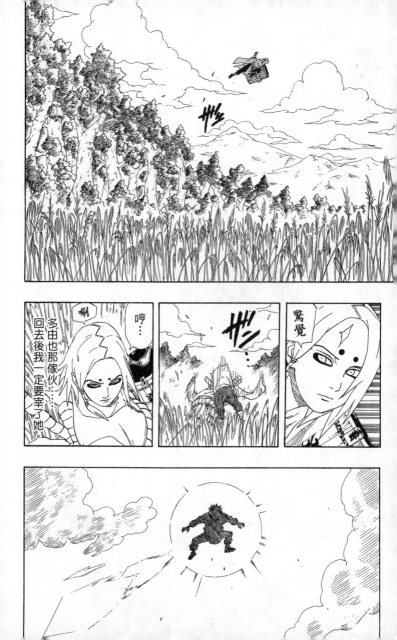

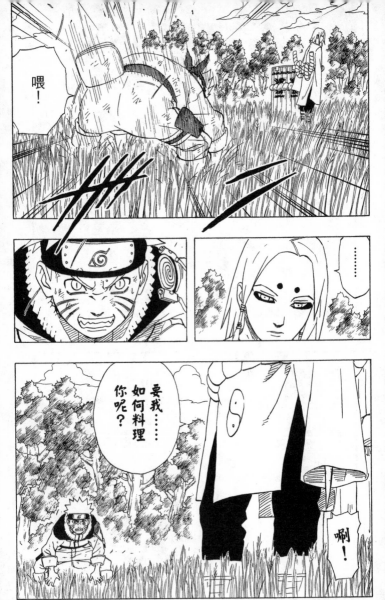

NARUTO 火影忍者 原創角色優秀作品公佈 PART ②

（千葉縣　高橋麻衣子讀者）
○真好‥‥

（和歌山縣　小倉綠讀者）
○這種年紀還是商店的西施！
真是厲害！

（熊本縣　蓋老師讀者）
○濃眉‥‥之前也接到過這種
來信呢。

（山形縣　樋口千秋讀者）
○據說她在追著卡卡西到處跑‥‥
卡卡西還真有女人緣。

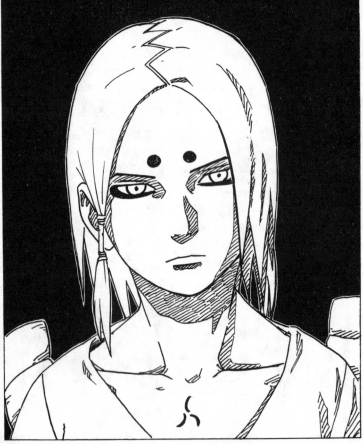

202：三人的願望！

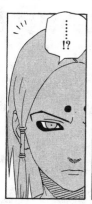

……!?

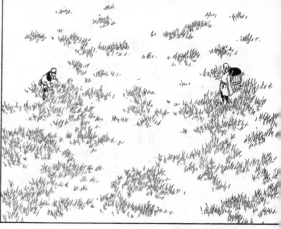

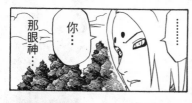

那眼神……

你……

……

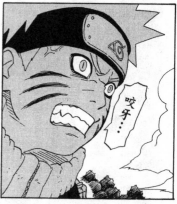

咬牙……

哼……他好像有著奇怪的查克拉。

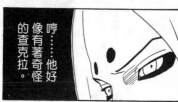

為什麼他要盯上佐助？

大蛇丸到底想幹什麼？

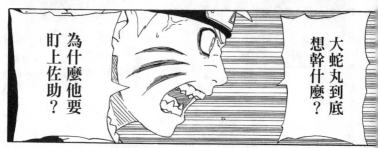

火影忍者 23

......

要學會所有的術，並且得到世間的所有東西，就必須花很長的時間。

大蛇丸大人已經學會「長生不老之術」。

這種事情和佐助有什麼關係？

雖然是「長生不老」，但肉體並不會一直保持不變…

所以要在身體老化之前，找到新的強悍肉體成為靈魂的容器。

這麼說…

他看上的就是佐助嗎？

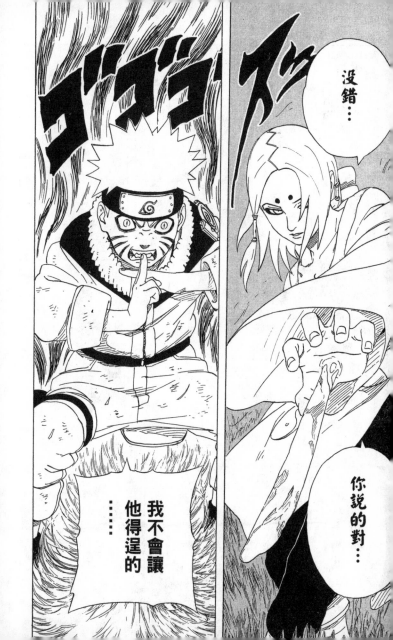

笨蛋……讓一個矮冬瓜去追他有什麼用？

那個名叫佐助的男人對你們來說……真的那麼重要嗎？

……

從時間上來看，你在率隊一路追來的途中……

讓自己的隊員一個接一個地犧牲才追上我們……

……為了一個人而犧牲隊員

嘻嘻……你們是同性戀啊？

哼⋯⋯

這是我升任小隊長之後，第一次接到的任務⋯⋯

因為我的隊友一直減少，所以讓我覺得很不安，

而且我也不知道自己的判斷到底對不對。

⋯⋯⋯⋯

既然我是掌握隊員性命的小隊長⋯⋯

那麼按照慣例，和那個被敵人抓走的夥伴的性命比起來，

我應該要尊重四個隊友的性命，決定中止這個危險任務才對。

世上並不是每件事都能按照慣例處理的。

那你為什麼不這麼做？

因為我的小隊裡，

沒有任何一個人會丟下被抓走的夥伴，

也不會為了自己的安全而不和敵人戰鬥。

連我都是這樣……

……

喜歡悠閒地看著雲的我，其實根本不適合當個命令夥伴的隊長，

所以我能為他們做的事

……

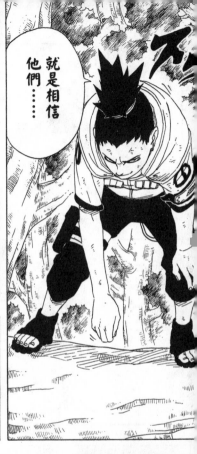

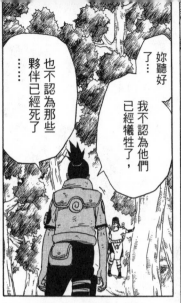

就是相信他們……

妳聽好了……我不認為他們已經犧牲了，也不認為那些夥伴已經死了……

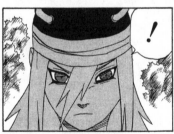

！

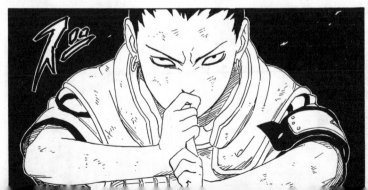

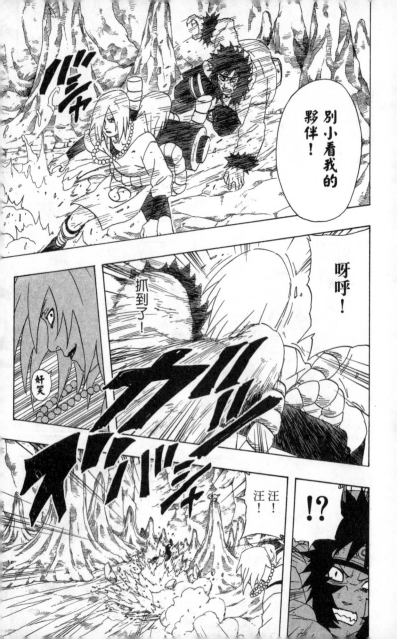

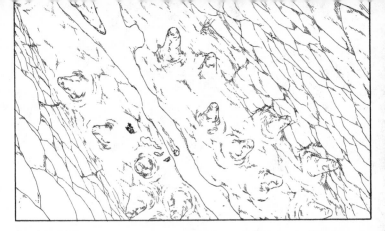

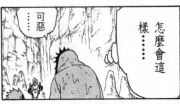

可惡
……

怎麼會這
樣……

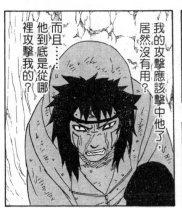

而且……
他到底是從哪
裡攻擊我的？

我的攻擊應該擊中他了，
居然沒有用？

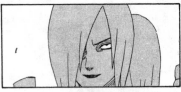

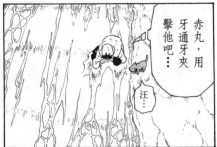

赤丸，用
牙通牙夾
擊他吧……

汪……

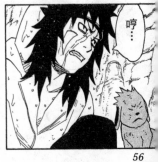

哼……

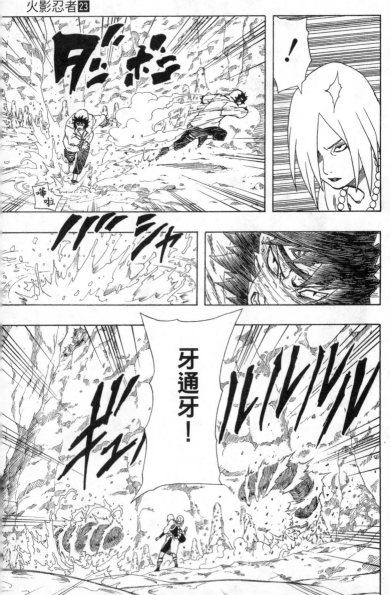

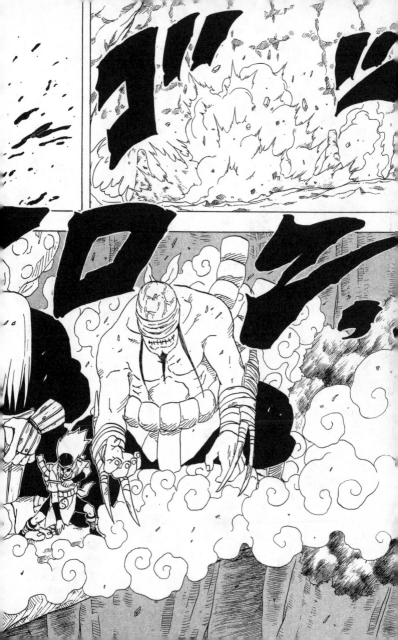

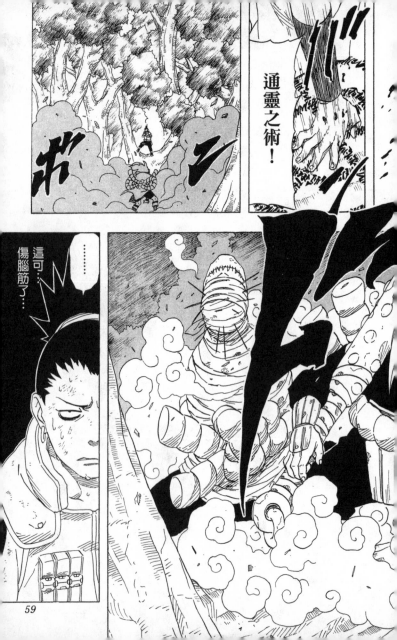

通靈之術！

這可…
傷腦筋了…

……

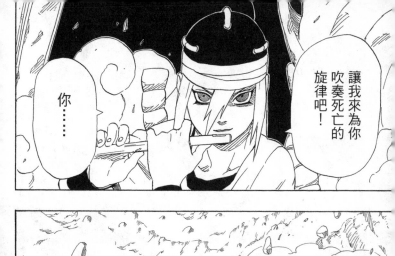

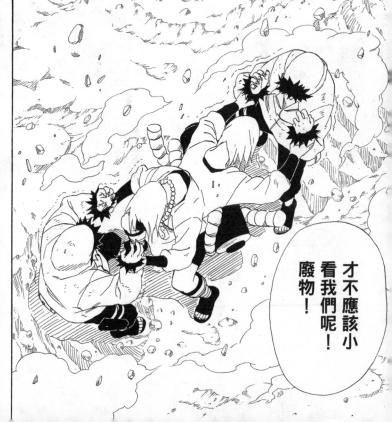

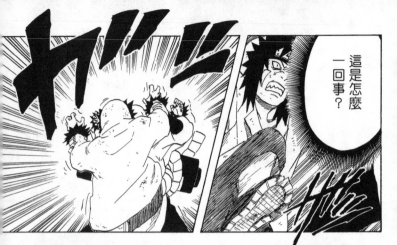

這是怎麼一回事?

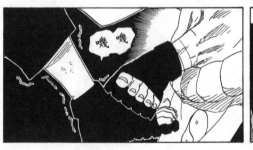

嘰嘰

!?

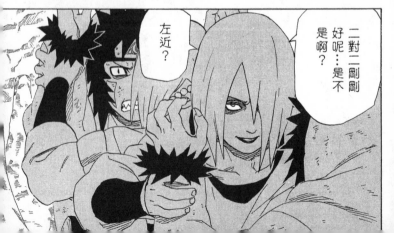

左近?

二對二剛剛好呢⋯是不是啊?

難道對方派出足以阻止他們前進的高手？……還是他們玩過頭了……

沒想到那個「四人組」居然會花費那麼多時間……

會扯後腿的是肚子餓的次郎坊……還有喜歡玩樂的鬼童丸……

嘻嘻……

嘻嘻……這很難說……多由也的個性也和他差不多……

在殺了敵人之前，他都無法克制自己……別管那麼多不就好了？

因為他是四人組之中最強的，所以喜歡搶著出風頭……

嘻嘻……但是發飆之後最難對付的就是左近吧？

因為君麻呂會立刻把無法助我一臂之力的人殺掉……

反正…已經派君麻呂去了，所以計畫一定會成功……

......

厲害…

我絕對不會把佐助交給你們的！

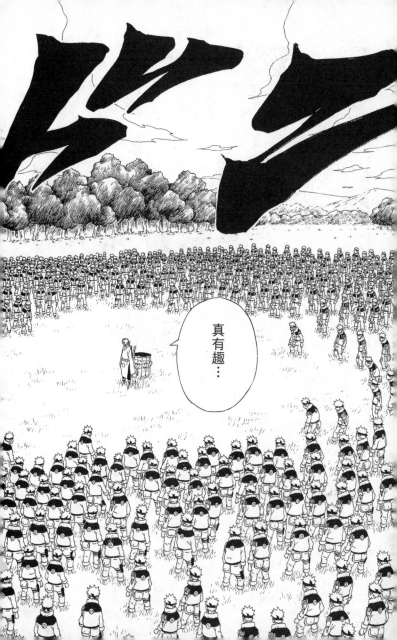

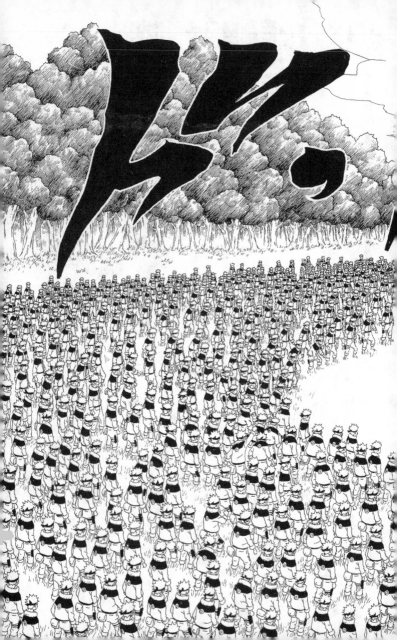

（高知縣　濱田美月讀者）

○他的朋友就是我愛羅揹的那個嗎？

（福岡縣　山口慎一讀者）

○他是阿凱的師父嗎？

（？　キッミー讀者）

○因為他叫做八作，所以89歲？他放出來的魅力我無法承受啊！

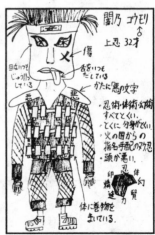

（神奈川縣　藤原瑛右讀者）

○這種角色看起來最危險！好像很強呢！

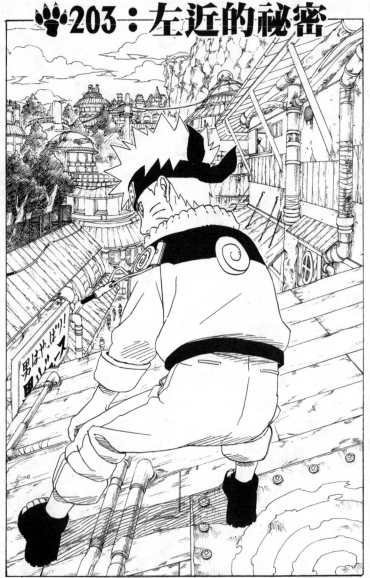

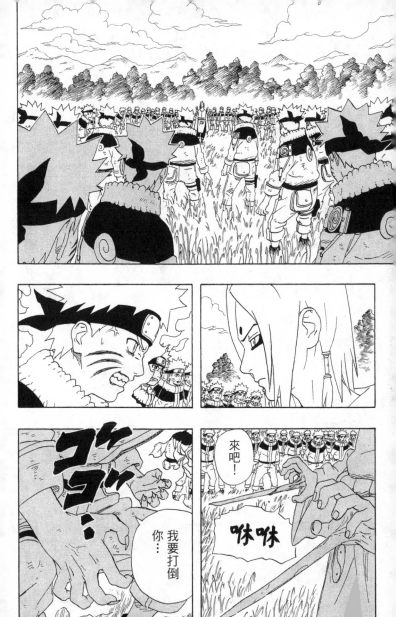

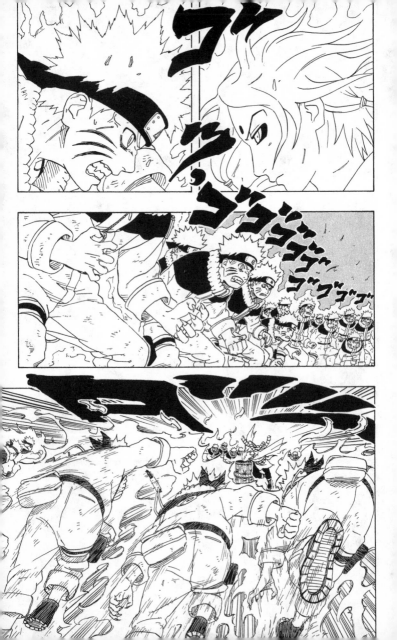

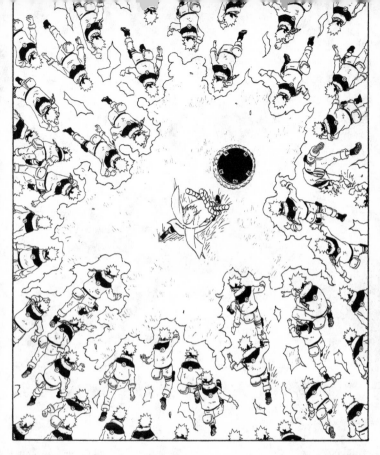

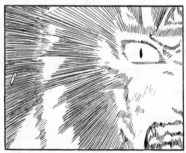

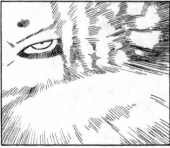

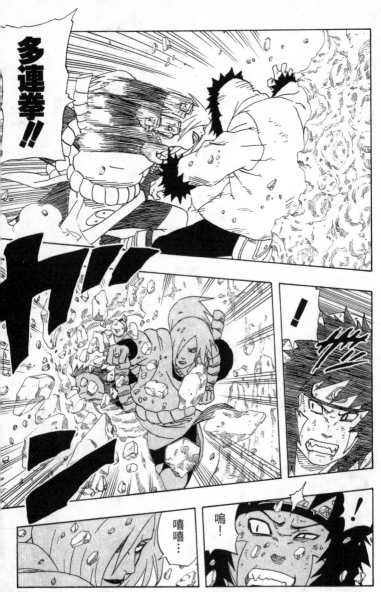

抓住

這就是他的能力……

啊……

右近能讓他的手腳，甚至是頭⋯從我身體的各個地方伸出來進行攻擊與防禦。

平常老哥都會沈睡在我體內，但在戰鬥時，他就會跑出來幫我。

啊……

我們是一對感情很好的兄弟……

伸出…

伸出…

汪！
汪！

就像這樣

ゴゴ

哇！

ドガガガッ

嗚啊！

汪嗚！

三隻腳一起踢很痛吧！接下來……

ZZZ

多連腳！

ゴロツ

左近，別玩了…時間不夠啊。

！

遮住

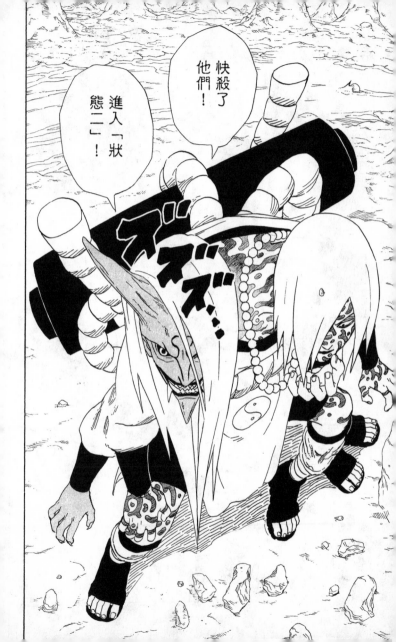

好啦……老哥，你還真是心急啊。

!!!?

嗚嗚……

呼……呼……

自從那露右眼的傢伙出現後，狀況就變得很糟了，而且他們的查克拉又提升了數十倍……

赤丸……你說那個角不是唬人的啊……

老哥，你打算怎麼做？

把他們碎屍萬段……

汪！汪！

你是說要用那一招？

汪！

不行啊！赤丸！沒有夥伴在的地方用那招⋯實在是太危險了！

你應該也知道⋯只要用了那招，我們的查克拉都會幾乎用盡，最後會無法動彈。

萬一沒打中的話⋯我們就要死在這裡了。

好痛！

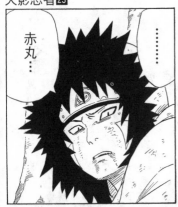

赤丸…

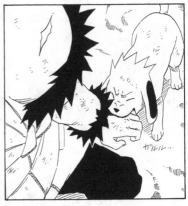

………

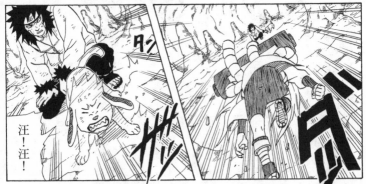

汪！
汪！

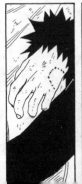

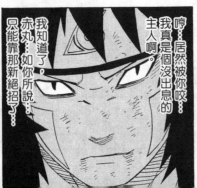

哼…居然被你咬…
我真是個沒出息的
主人啊…

我知道了。
赤丸…如你所說…
只能靠那新絕招了…

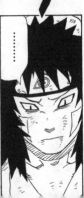

………

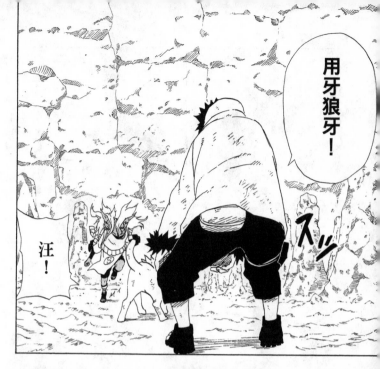

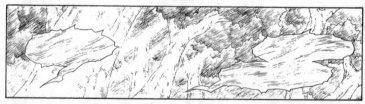

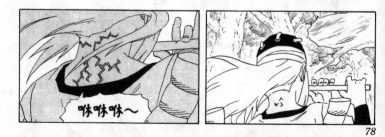

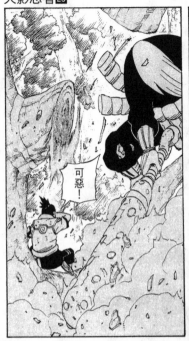

可惡!

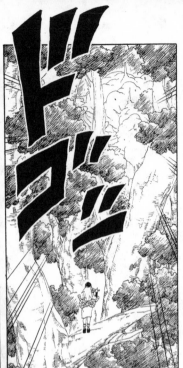

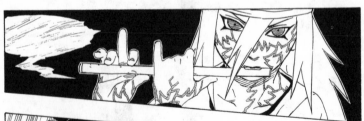

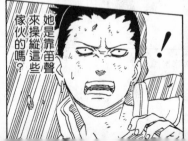

她是靠笛聲來操縱這些傢伙的嗎?

！

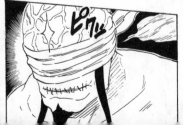

ピクッ

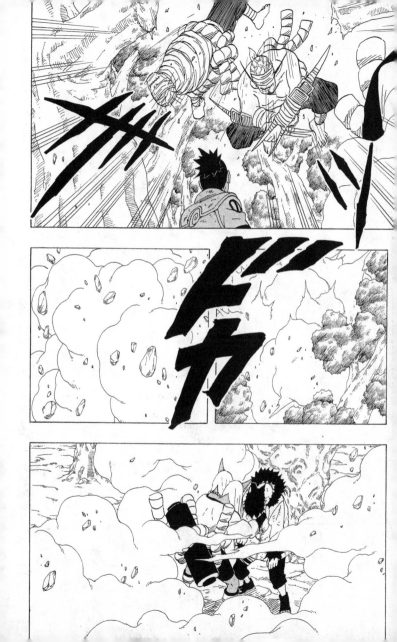

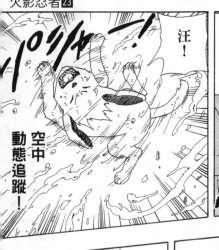

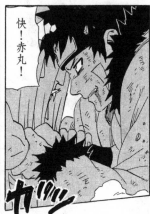

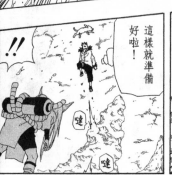

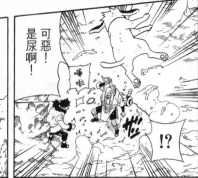

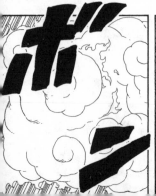

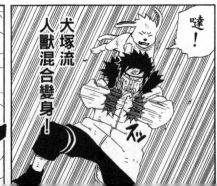

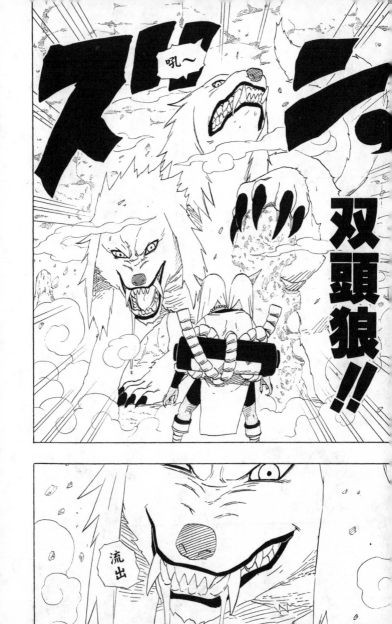

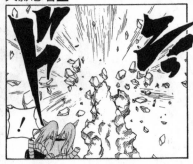

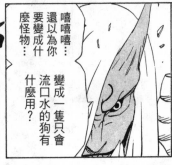

嘻嘻嘻…
還以為你
要變成什
麼怪物…

變成一隻只會
流口水的狗有
什麼用？

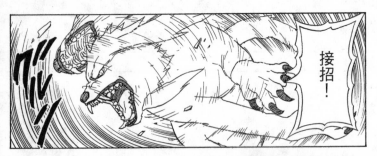

接招！

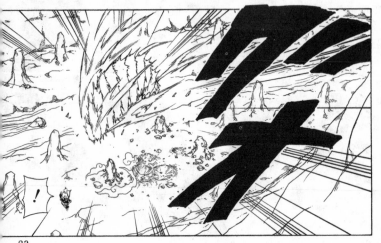

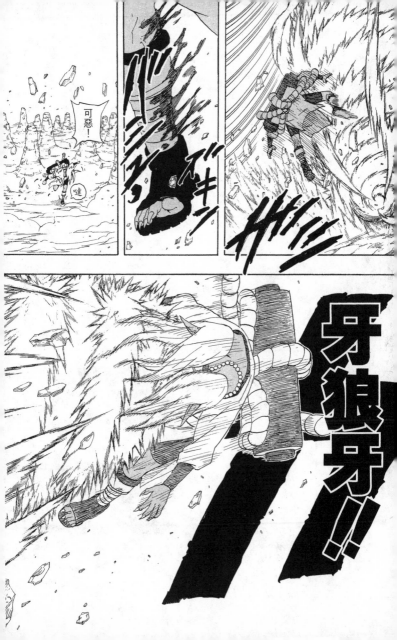

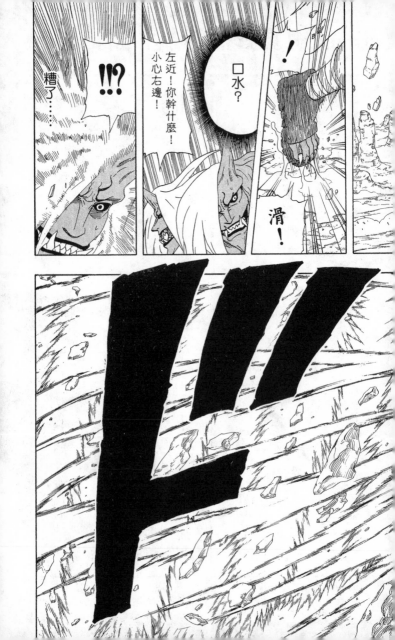

NARUTO 火影忍者 原創角色優秀作品公佈 PART ④

（愛媛縣　森園莉子讀者）
〇夏洛是隻老鼠，卻非常巨大！
這一點好棒！

（長崎縣　本田孝平讀者）
〇他本來是一隻豬嗎？

（神奈川縣　長田朋子讀者）
〇鳴人的哥哥啊…
原來還有這種方法可以用…

（埼玉縣　篠原道子讀者）
〇小暗好可愛啊！打地鼠的槌子
好像也會發出可愛的聲音呢！

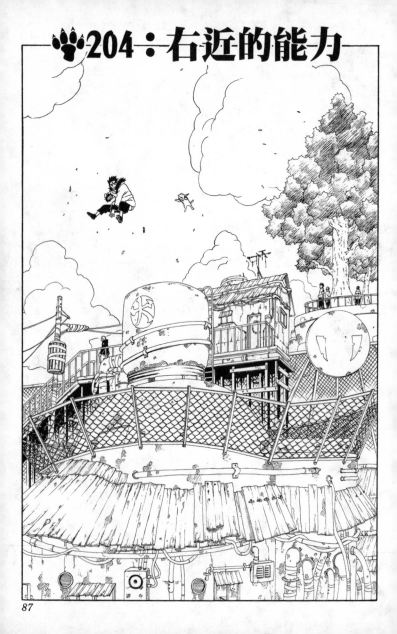

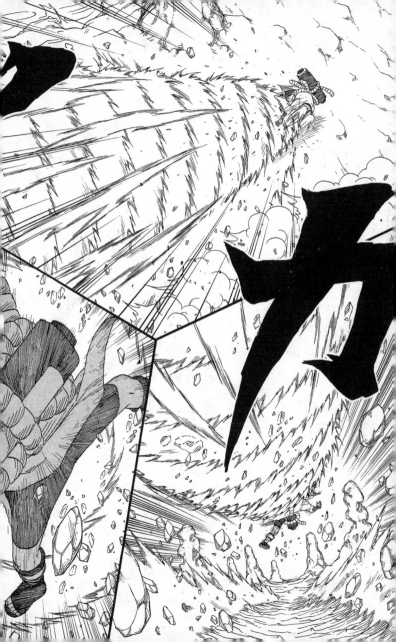

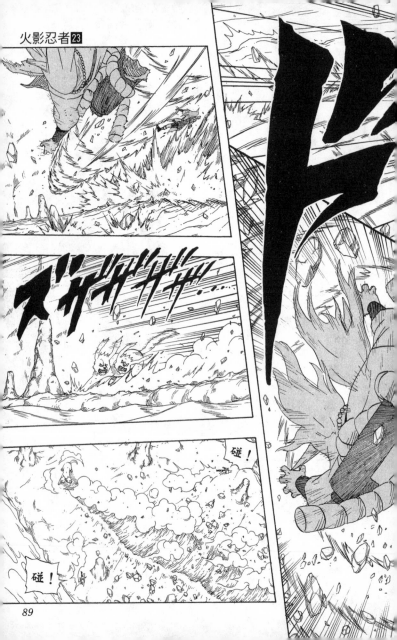

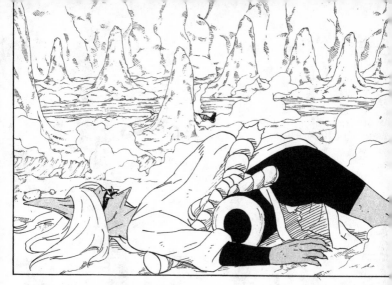

嘿嘿……怎麼樣？

牙狼牙的旋轉速度非常快，這是一種甚至快到連視線都看不到的…「超快速旋轉」。

即使沒直接接觸，也能把身體砍斷…

如果直接命中，身體會變得支離破碎。

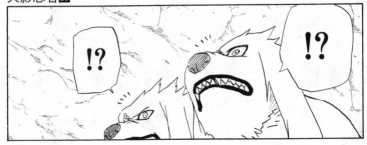

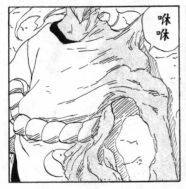

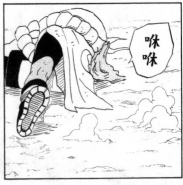

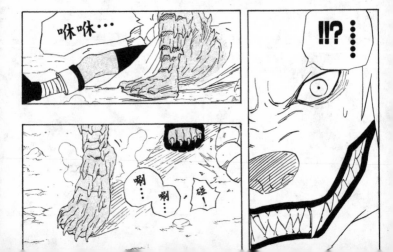

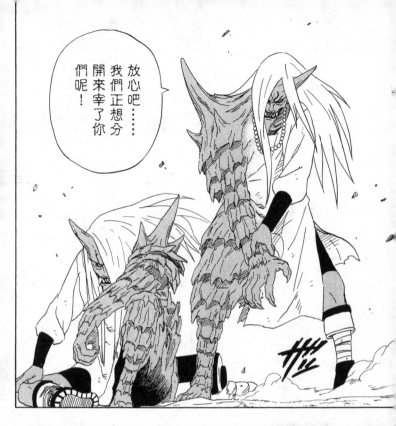

放心吧……我們正想分開來宰了你們呢！

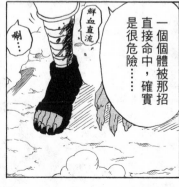

嘁……

鮮血直流

一個個體被那招直接命中，確實是很危險……

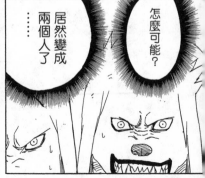

居然變成兩個人了……

怎麼可能？

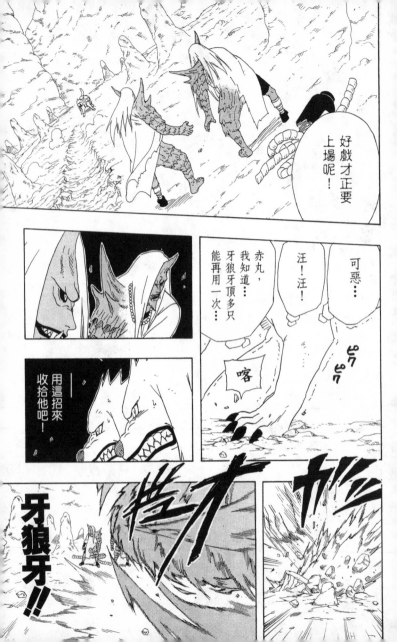

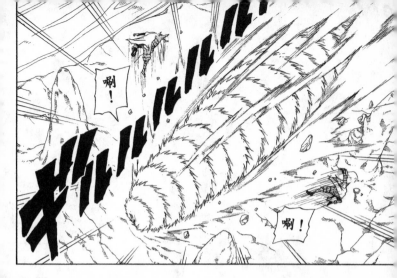

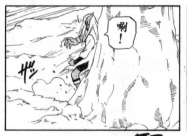

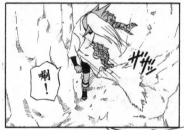

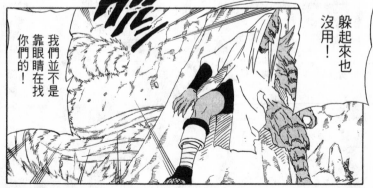

躲起來也
沒用!

我們並不是
靠眼睛在找
你們的!

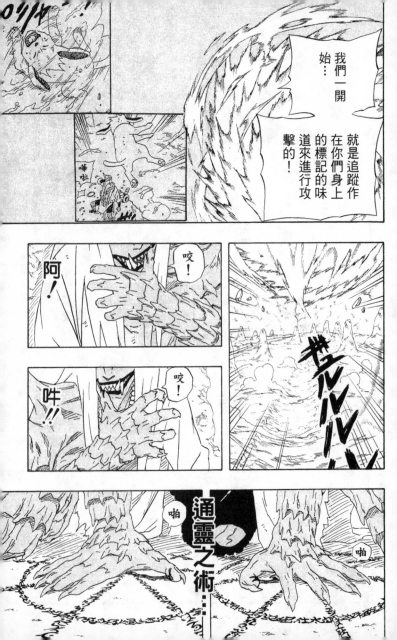

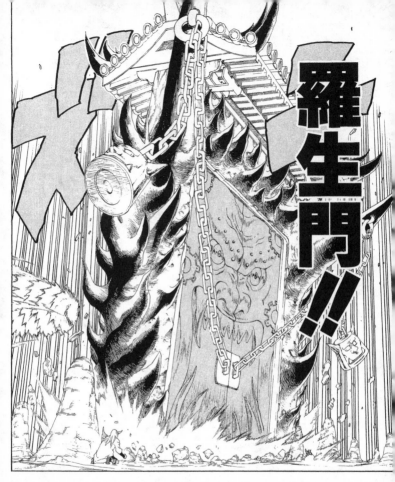

羅生門!!

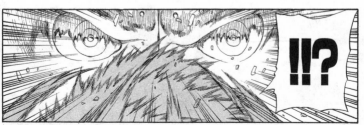

!!?

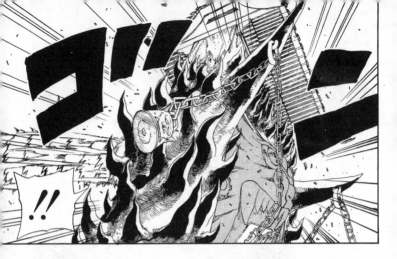

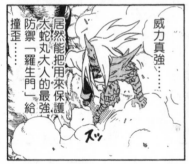

威力真強……

居然能把用來保護大蛇丸大人的最強防禦「羅生門」給撞歪……

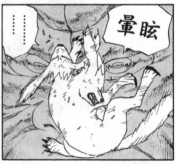

暈眩

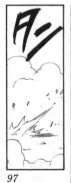

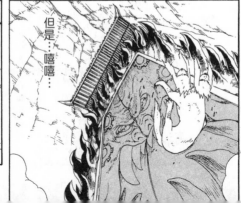

但是…嘻嘻…

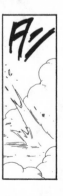

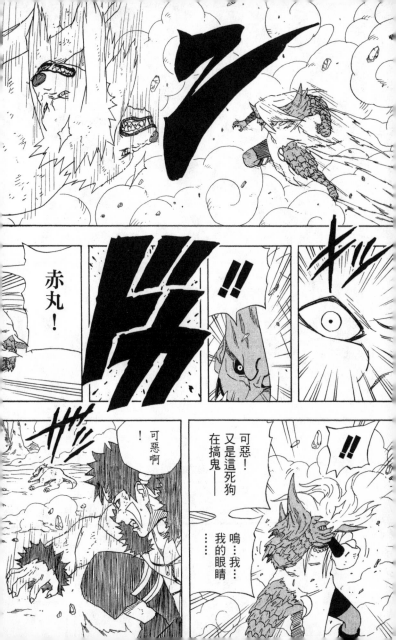

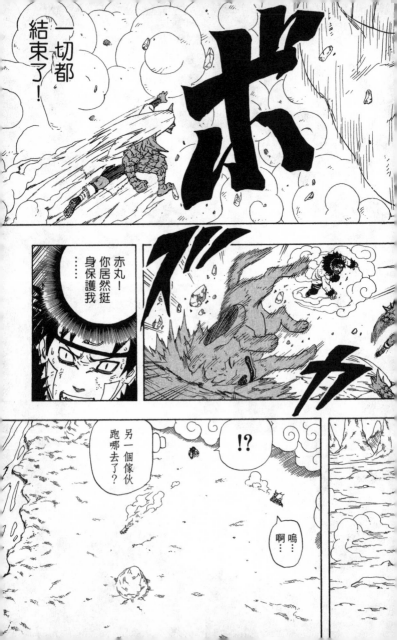

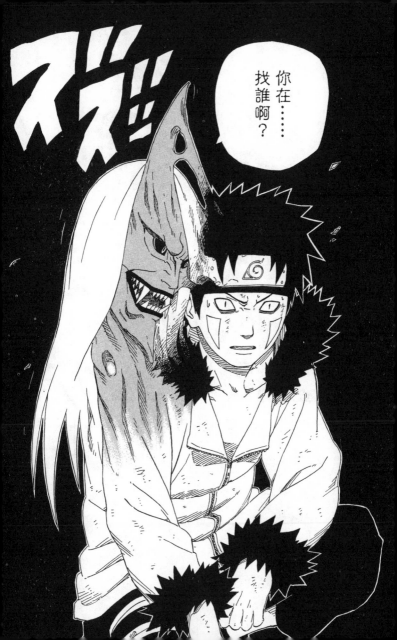

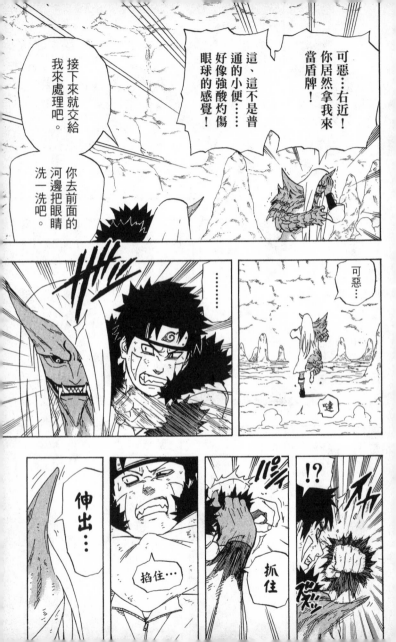

這就是我的能力…我可是暗殺專家呢。

嗚…

光有靈敏的鼻子和尖銳的爪子…是打不贏我的。

因為我有這種能力！

可惡…

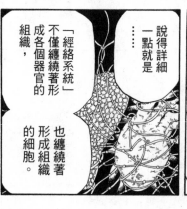

在體內幫助查克拉流動的「經絡系統」…

纏繞著各個內臟這件事你應該知道吧？

說得詳細一點就是…

「經絡系統」不僅纏繞著形成各個器官的組織，也纏繞著形成組織的細胞。

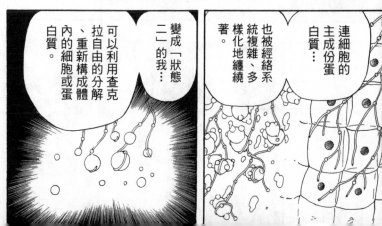

連細胞的主成份蛋白質…也被經絡系統複雜、多樣化地纏繞著。

變成「狀態二」的我…

可以利用查克拉自由的分解、重新構成體內的細胞或蛋白質。

簡單的說……我可以打散自己的身體，讓自己進入敵人的體內，還可以讓自己恢復原狀。

現在的我和你，處於一種融合狀態也就是我們共有一個肉體。

……共有？

嘻嘻……你放心吧，我們並不是完全融合在一起。

我也可以讓我的細胞自由遨遊在你的體內，並且製造出只屬於你的部份。

而只有我能做到的殘酷殺人方法就是……

慢慢地奪取我的身體尚未入侵的那些屬於你自己的細胞……

！？

既然如此……

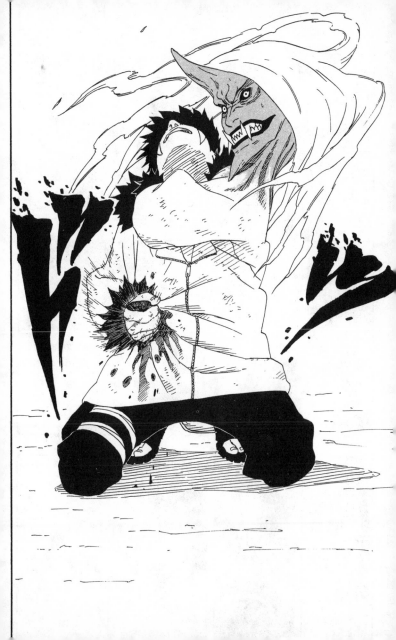

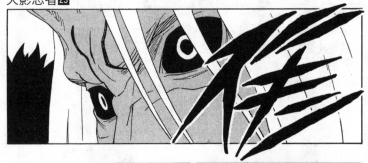

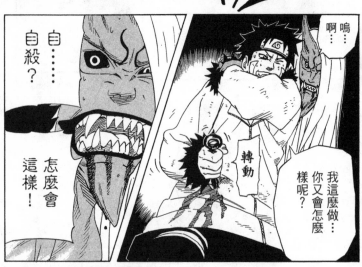

自……自殺？

怎麼會這樣！

啊嗚……

轉動

我這麼做…你又會怎麼樣呢？

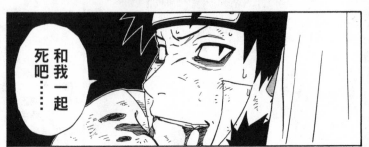

和我一起死吧……

NARUTO 火影忍者 原創角色優秀作品公佈 PART ⑤

這次的火影忍者原創角色最優秀作品，
就是（愛媛縣 white eye讀者）投稿的
作品！

white eye讀者將可以得到一張有岸本老師
簽名的複製插圖喔！敬請期待！
我們將繼續募集原創角色，請各位繼續踴躍
投稿！

寄件地址為
〒119—0163
　東京都神田郵便局　私書箱66号
　　集英社ＪＣ
「原創角色募集」

※不過只能用明信片寄喔！
千萬不要寄信函來喔！

【初音】

←岸本老師畫出來的就是這個樣子！

☆設計稿僅限於原創的角色！別忘了要把角色的全身畫出來喔！

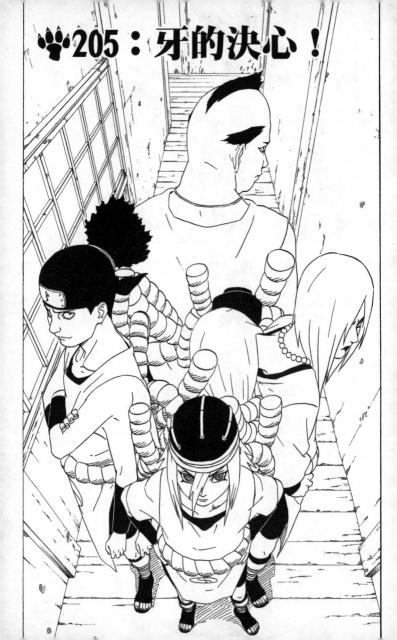

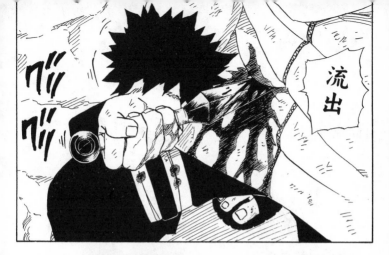

流出

ゲリ

ゲリ

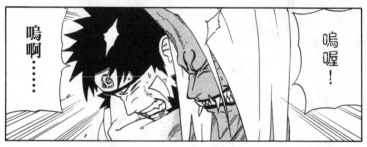

嗚啊……

嗚喔!

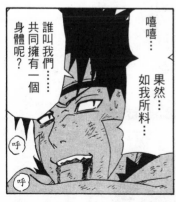

嗚……

你…你到底在想什麼…

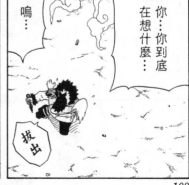

拔出

嘻嘻……果然…如我所料…

誰叫我們……共同擁有一個身體呢?

呼

呼

嘿嘿……痛苦嗎？

過去……從來沒有人這麼做……

可惡！

這招最大的優點就是能潛入對方的體內，讓對方不敢攻擊我。

舉起

!!

差不多該讓我們快活快活了！

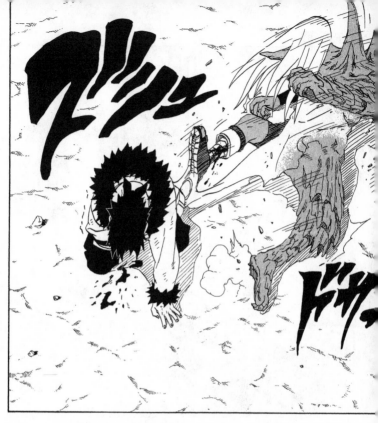

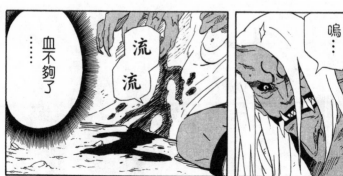

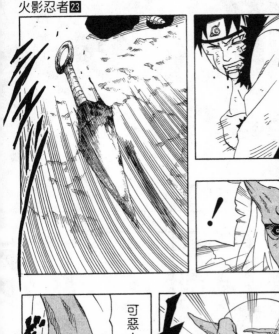

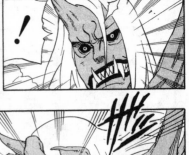

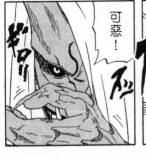

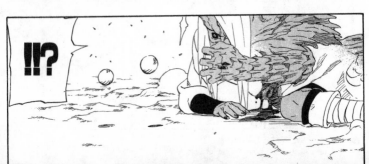

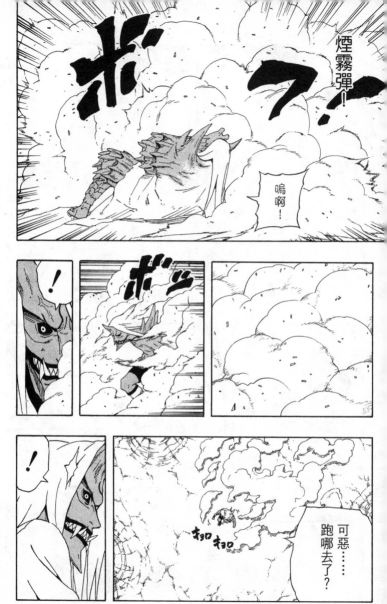

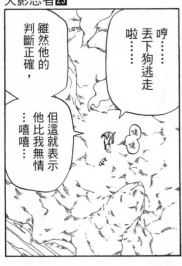

哼……丟下狗逃走啦……

雖然他的判斷正確，

但這就表示他比我無情……嘻嘻……

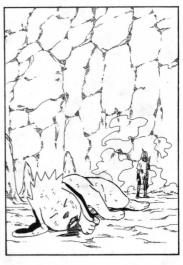

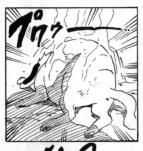

プクゥー——

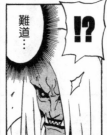

難道…… !?

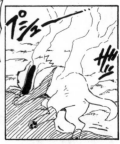

プシュー

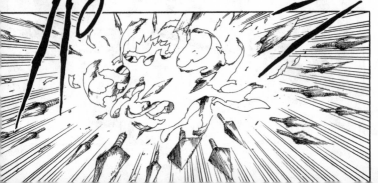

パ

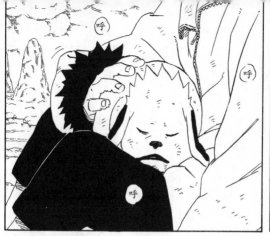
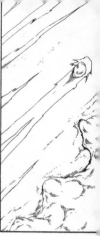

呼

呼

呼

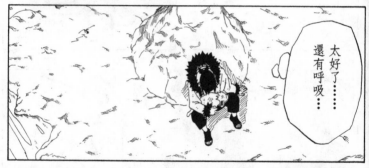

太好了……
還有呼吸…

嗚
…

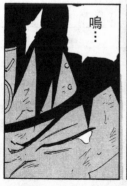

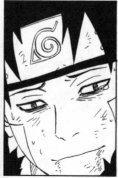

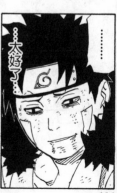

…大好了…

……

因為有你的協助，
我們才能阻止敵人追上去…
還讓敵人受傷…

赤丸…你真的很努力……

呼
呼

接下來…由我來保護你……

這樣就夠了…你做得很好…

流出

ポタ ポタ

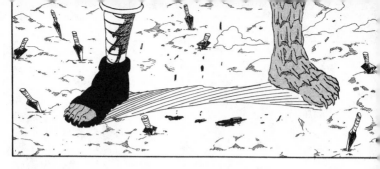

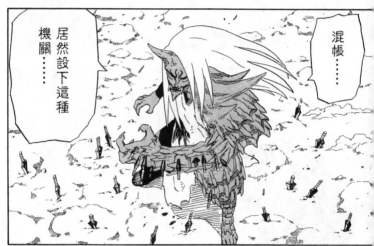

混帳……

居然設下這種機關……

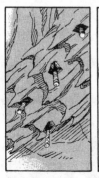

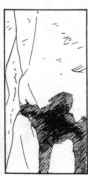

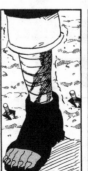

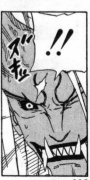

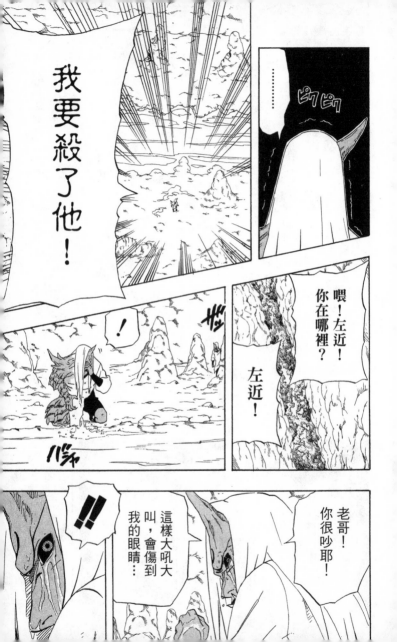

虽然我想立刻去宰了他，但是睡觉时间快到了⋯⋯

你要帮我活捉那两个混蛋！

等我醒来后，再亲手杀了他们！

左近！听到没有！一定要活捉他们！

唰唰

ズズッ

我们一起宰了他们。

我知道了⋯不过，到时候是⋯⋯

ドッ⋯⋯

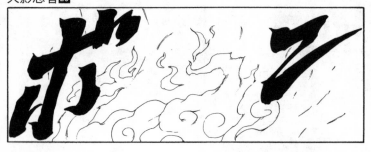

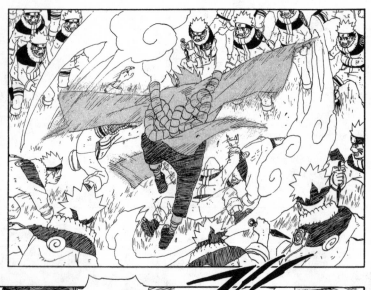

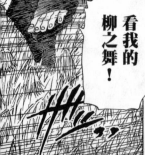

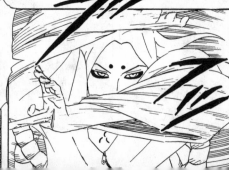

看我的
柳之舞
！

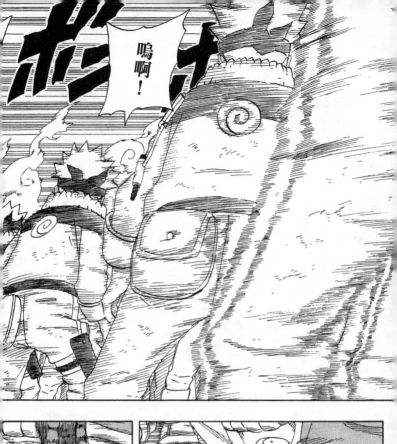

嗚啊！

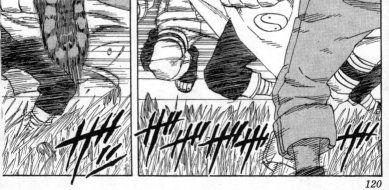

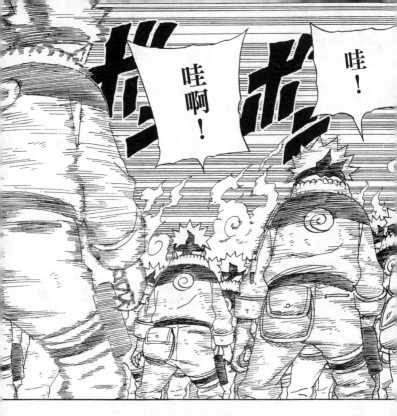

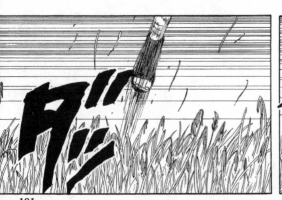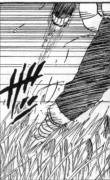

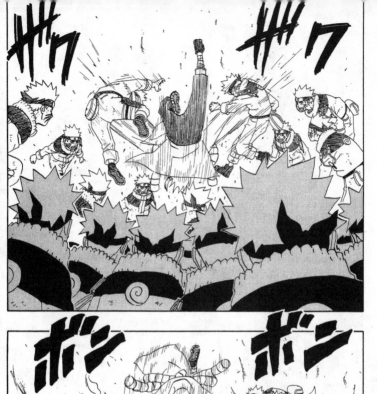

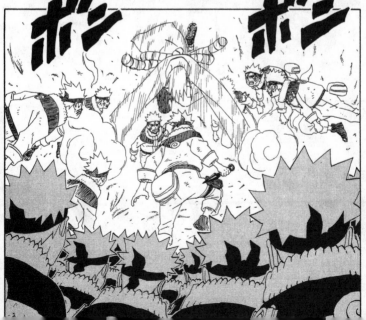

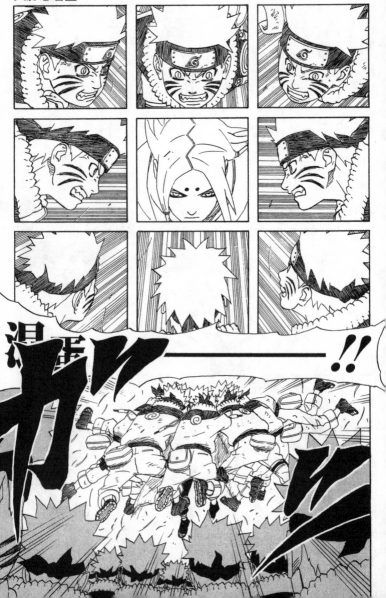

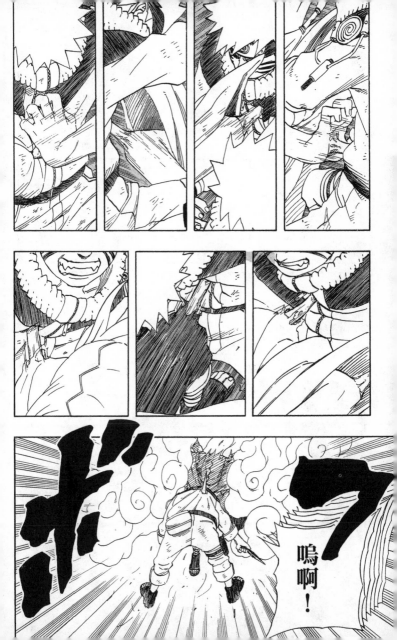

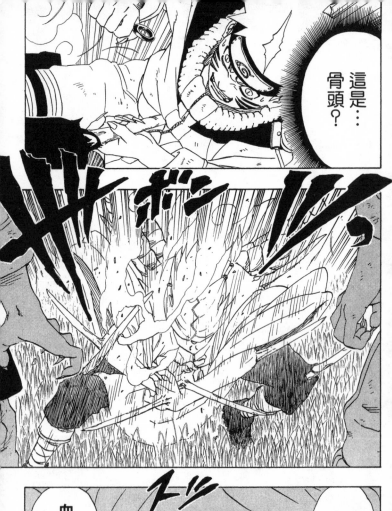

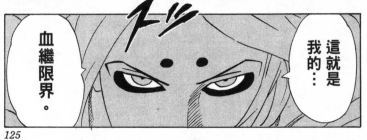

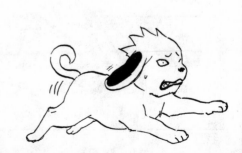

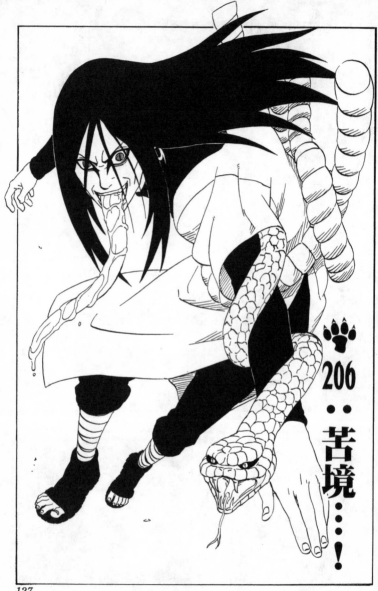

206 ··苦境····!

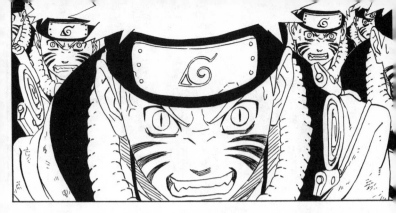

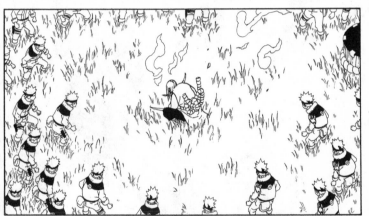

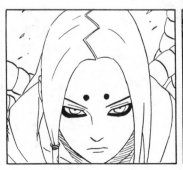

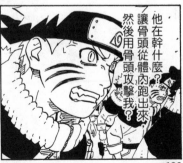

然後用骨頭攻擊我？讓骨頭從體內跑出來他在幹什麼？

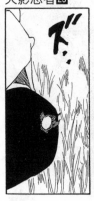

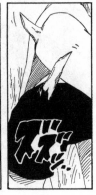

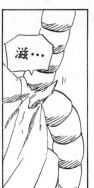

滋…

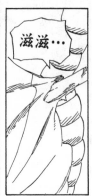

滋滋…

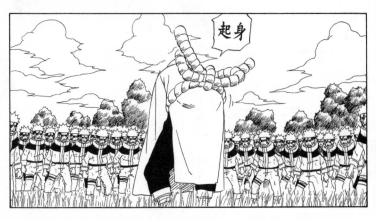

起身

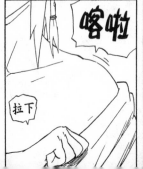

喀啦

拉下

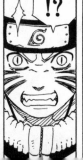

!?

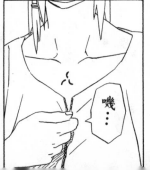

嘰…

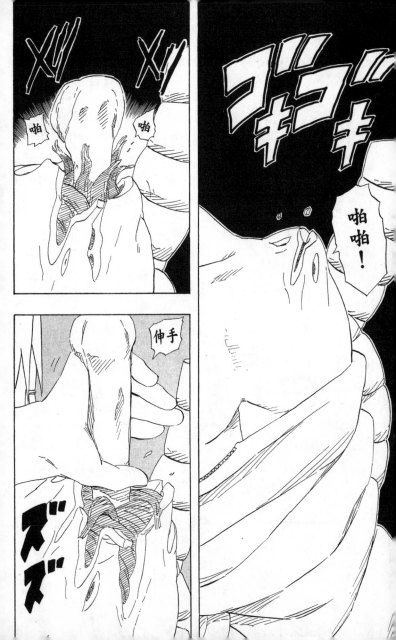

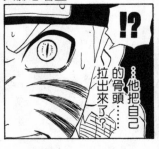

!?

…他把自己的骨頭……拉出來了？

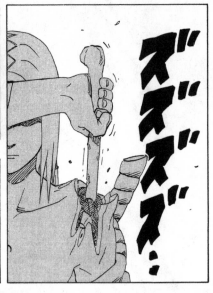

ズズズズ…

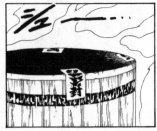

シュー…

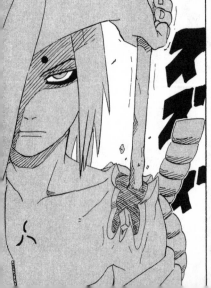

ズズズ

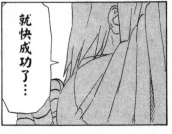

就快成功了…

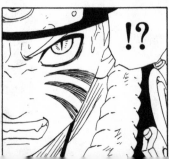

!?

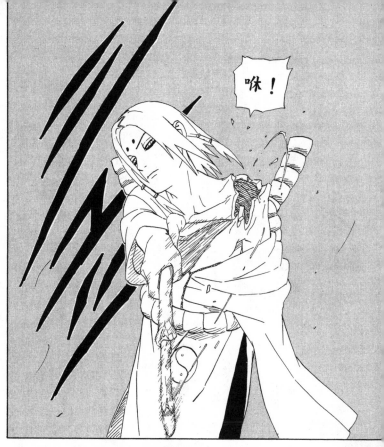

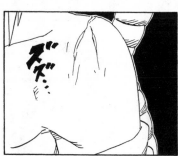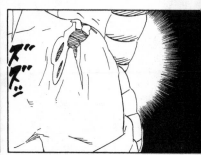

唰

喀嚓

拿骨頭當
刀子?

傷口也
癒合了……

!?

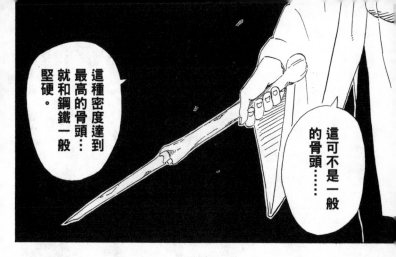

這種密度達到最高的骨頭⋯⋯就和鋼鐵一般堅硬。

這可不是一般的骨頭⋯⋯

我擁有五種「舞」⋯⋯你最好不要以為自己已經摸透我的實力了。

那種骨頭我隨隨便便就能打斷啦⋯⋯

那又怎麼樣？

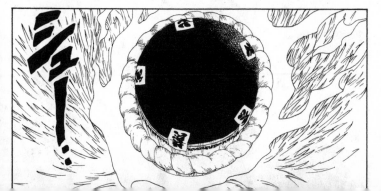

シュ！

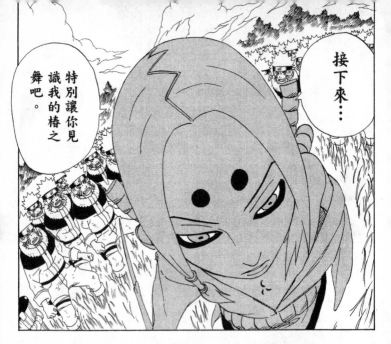

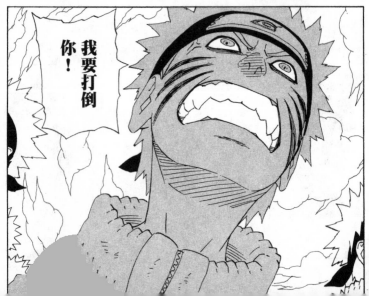

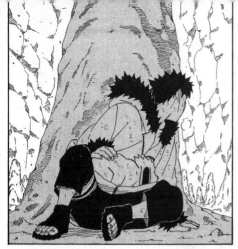
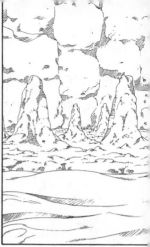

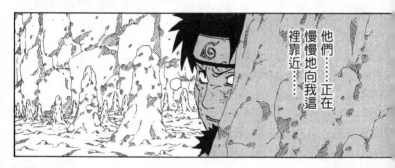

他們……正在慢慢地向我這裡靠近……

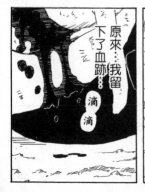

原來……我留下了血跡……

滴滴

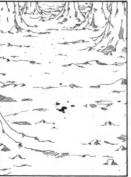

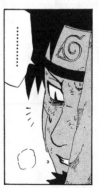

可惡…
雖然我把赤丸
給救回來了…

但好像太勉強自己了…

嘿嘿…

好痛…

呼
——…

!!?

開
開

這個味道…
怎麼可能？

為什麼……為什
麼連「他們」都
往這邊過來了？

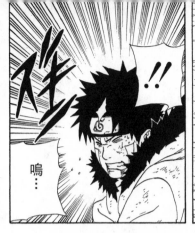

嗚
…

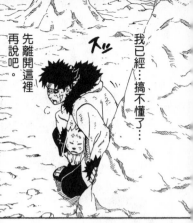

我已經…搞不懂了…

先離開這裡再說吧。

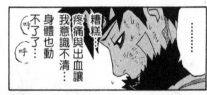

……

糟糕…疼痛與出血讓我意識不清…身體也動不了了…

呼
呼

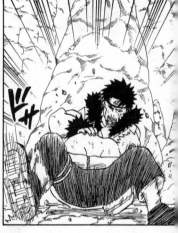

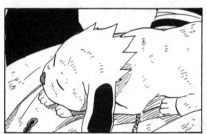

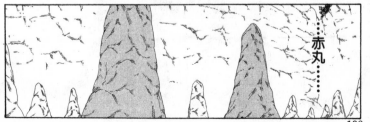

…赤丸……

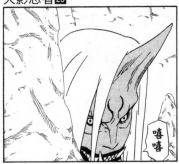

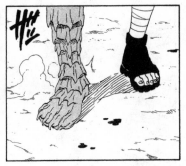

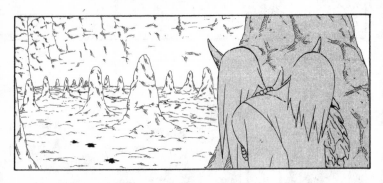

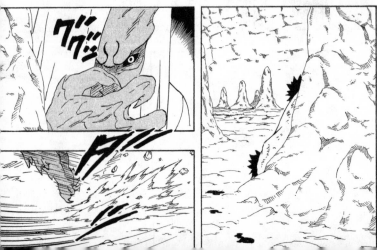

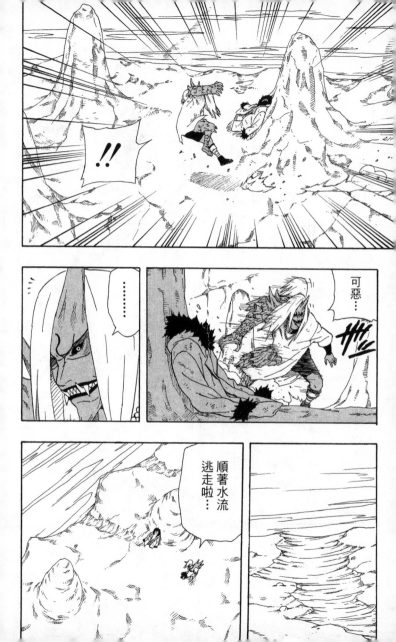

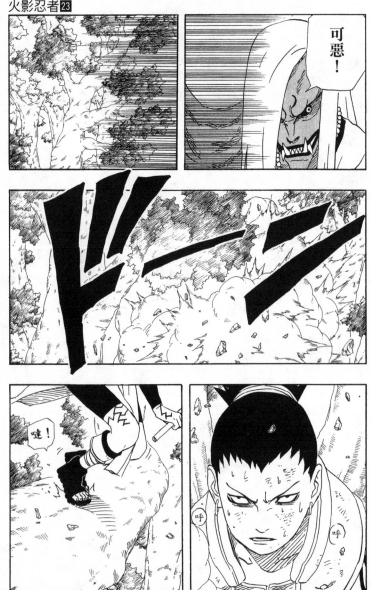

死老鼠……你已經無路可逃了！

妳還真厲害……

讓這三人分散攻擊我，而且還讓他們配合得非常巧妙……

根本沒空用術……

妳應該作過不少練習吧？

因為……妳吹的曲子很複雜。

……

哼……你不只馬上發現這些傢伙是被我用笛子操縱的,

還發現我吹的曲子難度有多高…真是了不起啊。

但是……你無法充分了解這個曲子。

沒錯……

因為藝術和我無緣……

雖然我對自己的分析能力很有自信…

但這次的狀況實在很危險…因為…

但是……既然她用笛子操縱他們,就表示「曲子」之中,一定有著用來控制每一個人行動的特定「聲音」排列。

嘻嘻…

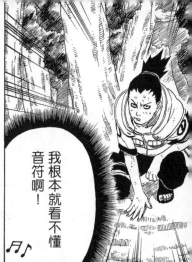

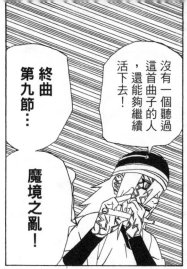

終曲
第九節…

魔境之亂！

沒有一個聽過這首曲子的人，還能夠繼續活下去！

我根本就看不懂音符啊！

♫♪

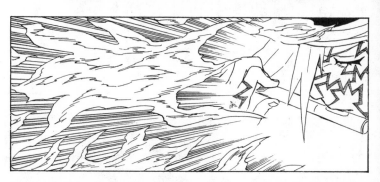

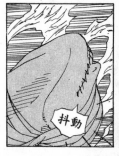

抖動

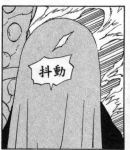

抖動

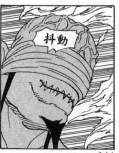

抖動

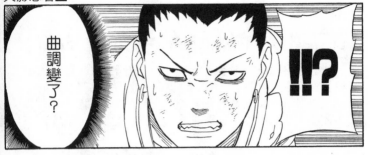

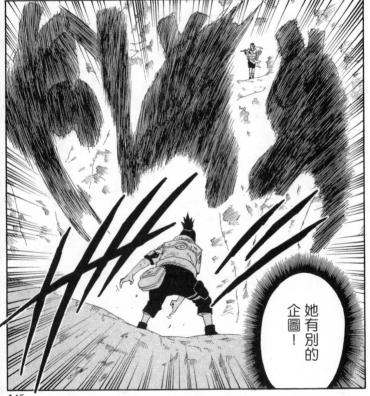

〔岸本齊史的世界〕

生平事蹟—不想寫在這裡的丟臉事情篇 PART 1

　　我的生平事蹟差不多已經寫完了，但因為只有這一個空白頁沒有東西可以寫，所以我決定再想出一些東西來寫。雖然寫得越多會覺得越丟臉，但我還是決定要寫。本來因為這些事情太可笑、太無聊了，我都不會去寫，所以我並不想寫，但是我還是會努力寫的…

　　我就讀國小的時候，深深的迷上超人戰隊。當年演出的是一齣名叫「太陽戰隊」的超人戰隊片。我常常跟自己的朋友與雙胞胎弟弟，玩太陽戰隊遊戲。太陽戰隊在超人戰隊中算是比較特殊的，本來超人戰隊大部分都是由五個人組成的，但是他們卻是一組只要靠三個人的力量，就能夠解救世界的超級戰隊。隊員由代表老鷹的太陽鷹、代表鯊魚的太陽鯊魚、代表豹的太陽豹組成。

　　從小就不太喜歡當領導人的我，經常扮演老二太陽鯊魚或老三太陽豹。但是當時在我的眼中，鯊魚所擺出來的姿勢真的很醜，所以我就跑去扮演太陽豹了。應該說這時候我扮演的就是太陽豹了…不，應該說我已經是太陽豹了。意思就是說我非常迷戀太陽豹。下一篇再來提我有多迷太陽豹吧…

P. S. 開始自曝其短！

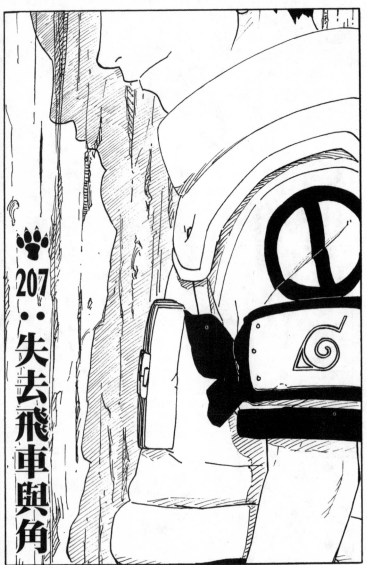

207：失去飛車與角

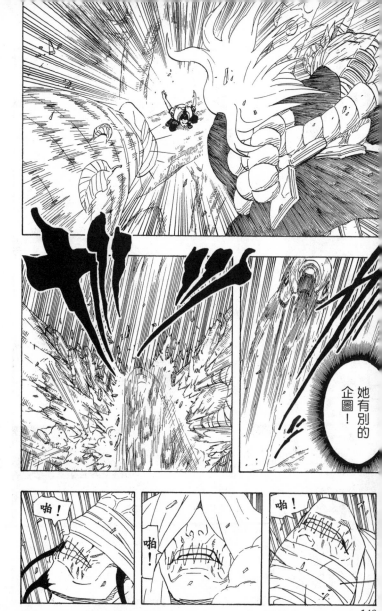

她有別的企圖！

啪！

啪！

啪！

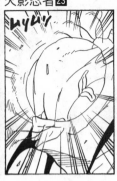

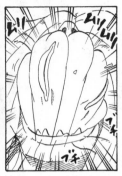

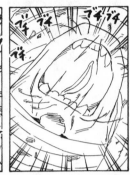

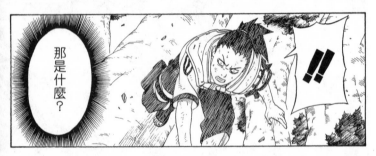

那是什麼？

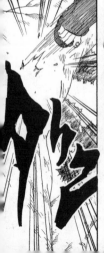

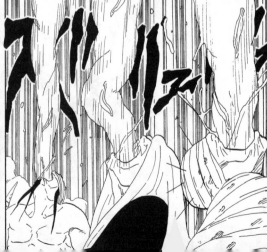

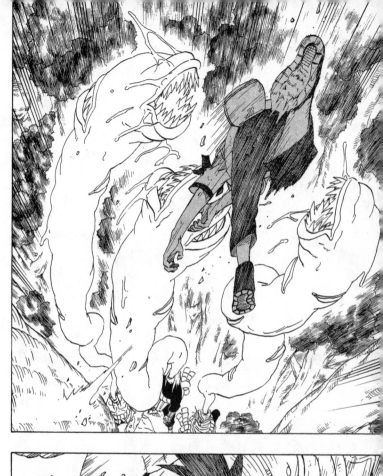

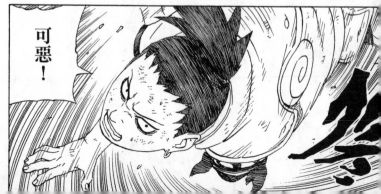

可惡！

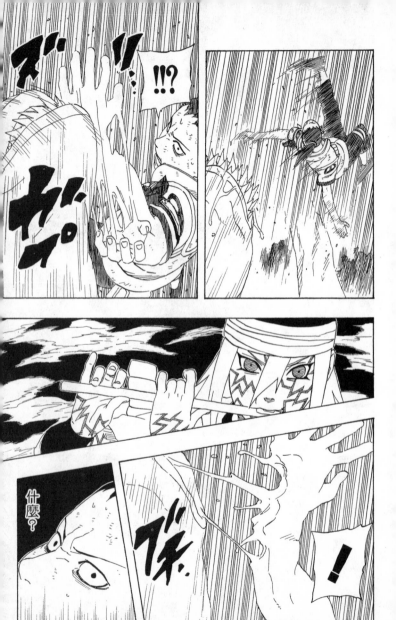

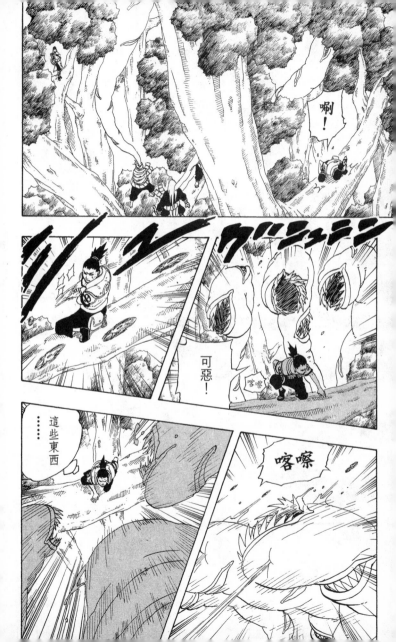

噠

他知道物質化靈的危險，所以很快地就逃了⋯⋯

真是不簡單⋯⋯不過⋯⋯

我一口氣用了貴重的引爆符還有煙霧彈，才能勉強躲起來⋯⋯

呼

呼

⋯⋯⋯⋯

呼

呼

那些白色的傢伙……

!!?

居然把我的「身體能量」給吃掉了……

呼 呼

從手裡劍會穿過那些東西這一點來看……

那是幾乎沒有質量的半物質……根本就是充滿食慾的查克拉。

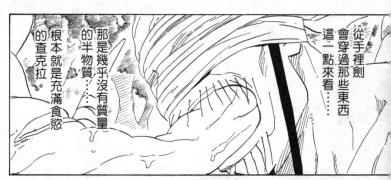

而且大概是只靠「精神能量」製造出來的查克拉。

所以他們會為了得到安定而急於尋找「身體能量」。

如果一直和那些「食慾查克拉」纏鬥，我會無法再製造查克拉……

真是一群難以應付的傢伙。

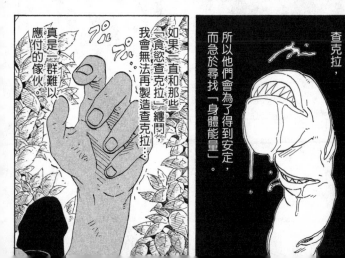

止吹笛子，就是讓她最快的方法，

但是要在這種狀況下靠近她，根本不可能…

她和我一樣，是能製造出特別查克拉的忍者，所以她用的八成是祕傳忍術…

所以不要去管那些白色的東西，要直接攻擊她。

只要沒抓到其中一隻，我就會被直接擊中，這樣就完蛋了。

另一個方法就是一口氣用影子模仿術捕捉住那三個傢伙…

但是他們攻擊的時機是互相錯開的，也不容易成功…

那個女人，無論是攻還是守，都沒有空隙…

搞不好將棋的技術也很厲害呢…

我剩下的忍具有十二支苦無、九支手裡劍、十之公尺的繩子還有一顆發光彈和一張引爆符…

真是的……我覺得自己就像是在失去飛車和角的狀態下和她下將棋呢。

唰……

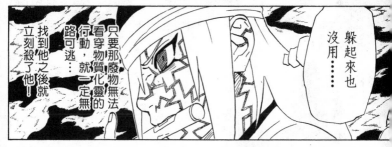

躲起來也沒用……只要那廢物無法看穿物質化靈的行動，就一定無路可逃……找到他之後就立刻殺了他！

ズズズー

好吧……

ズズ

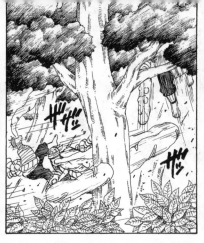

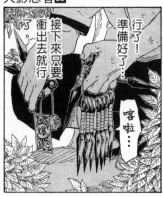

行了!
準備好了…

接下來只要衝出去就行了。

喀啦…

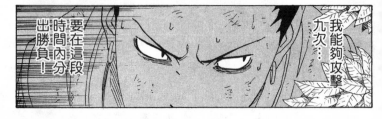

我能夠攻擊九次…

要在這段時間內分出勝負!

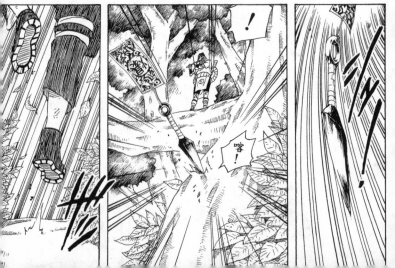

喀!

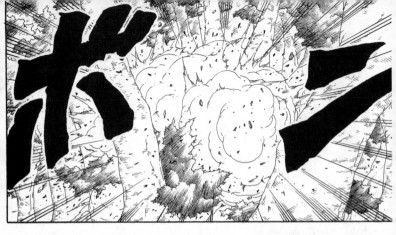

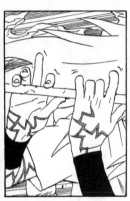

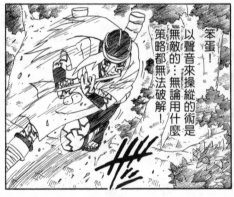

笨蛋！

以聲音來操縱的術是
無敵的…無論用什麼
策略都無法破解！

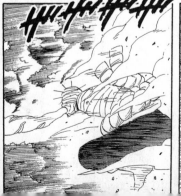

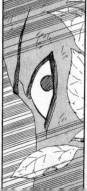

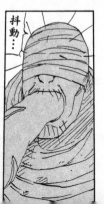

抖動…

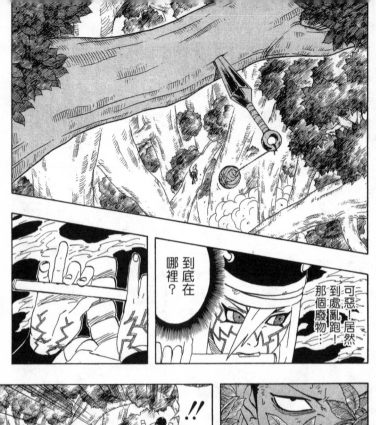

到底在哪裡？

可惡！居然到處亂跑…那個廢物…

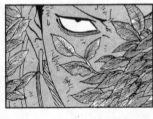

！！

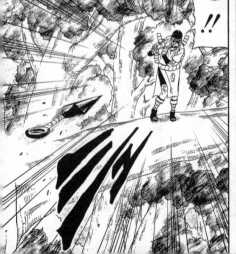

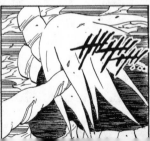

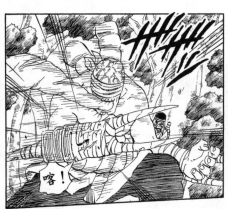

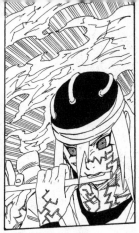

喀！

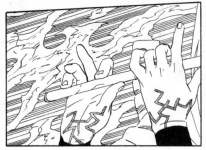

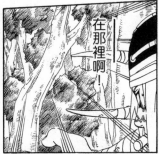

在那裡啊！

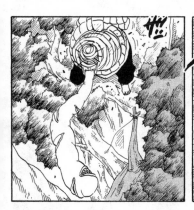

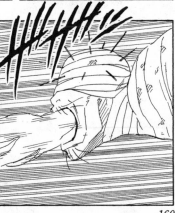

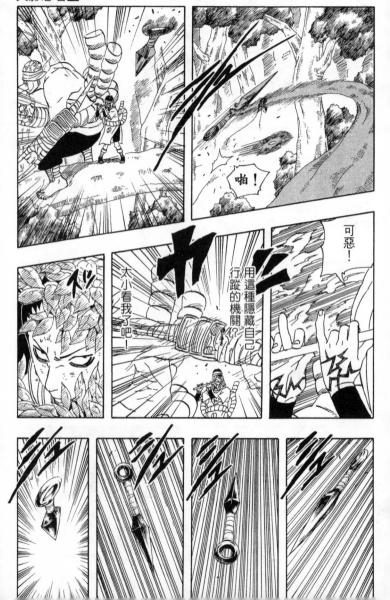

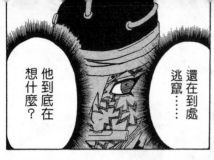

他到底在想什麼？

還在到處逃竄……

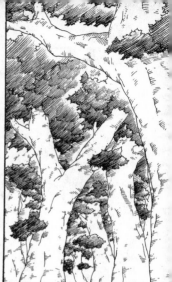

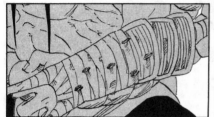

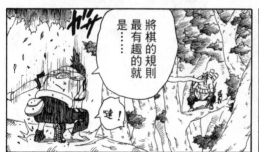

將棋的規則最有趣的就是……

嘖！

ガサ

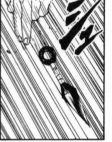

ミシ

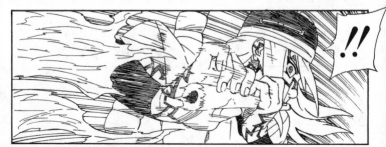

!!

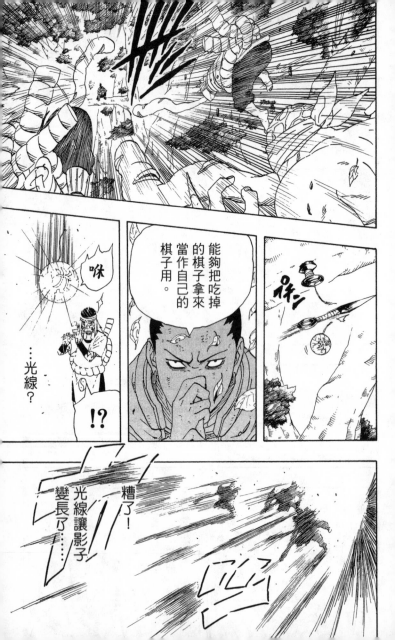

咻

…光線？

!?

能夠把吃掉的棋子拿來當作自己的棋子用。

槽了！光線讓影子變長了……

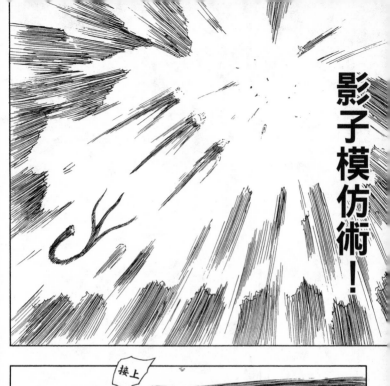

影子模仿術！

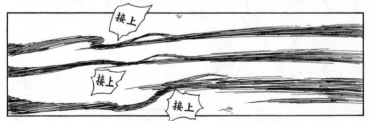

接上

接上

接上

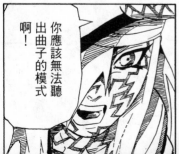

你應該無法聽出曲子的模式啊！

怎麼可能⋯⋯你怎麼看穿他們的動向？

⋯⋯⋯

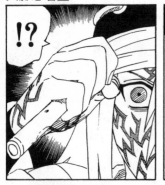

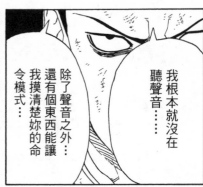

除了聲音之外⋯
還有個東西能讓
我摸清楚妳的命
令模式⋯

我根本就沒在
聽聲音⋯⋯

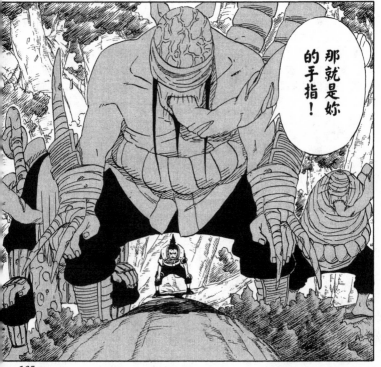

那就是妳
的手指！

〔岸本齊史的世界〕

生平事蹟—不想寫在這裡的丟臉事情篇 PART2

我當了將近一年的太陽豹，這段時間真的很辛苦。因為太陽豹是黃色，也就是說代表太陽豹的顏色是黃色！所以我在選顏色的時候都會選黃色！任何東西都會選擇黃色！

太陽豹穿著黃色的外套，所以我當然也穿黃色的衣服…但是黃色的衣服比我想像的還要難看。

說到太陽豹就會想到咖哩，他非常的喜歡吃咖哩！所以當有人問我「你喜歡吃什麼？」的時候，我當然就是回答「咖哩！」。不知道為什麼…在超人戰隊中，黃色超人都喜歡吃咖哩。GO超人的黃色超人也喜歡吃咖哩。

太陽豹是個非常愛吃咖哩的角色，也會吃個不停。而且當他吃完咖哩之後，還會把吃完的盤子一個一個疊起來。我記得他好像一口氣吃了二十盤左右。這樣就看得出來他有多喜歡吃咖哩。

當然，當我碰到晚餐吃咖哩飯的時候，就會顯得幹勁十足！我這個要扮演太陽豹的人，即使胃快受不了了，或是快要吐了，都必須要繼續吃咖哩。我跟媽媽說：「我還要再來一盤！用別的盤子裝！」媽媽：「？…少胡說八道，為什麼不用剛剛的盤子裝？幹嘛要再拿一個盤子！」。我心中出現了這樣的想法：「說得也是…」

太陽豹會爬牆壁。他的指甲非常尖銳，不管是垂直的牆壁，還是什麼樣的牆壁，他都能夠爬上去！當然，當我在扮演太陽豹的時候，只要看到垂直的牆壁，就一定要爬上去。雖然當時我才唸小學一年級，但我知道垂直的牆壁根本爬不上去…

但是在太陽老鷹與太陽鯊魚面前，我還是要爬上去。我在跑向牆壁的時候，心中想著：「太陽豹真是辛苦…」起跳！碰！抓住牆壁！啪！「好痛啊！」我的指甲脫落了。從這一天開始，我就不再扮演太陽豹了。

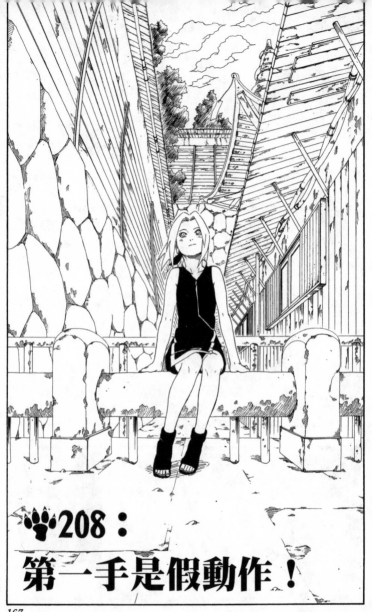

208：
第一手是假動作！

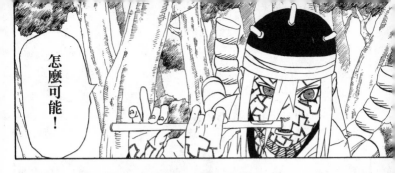

怎麼可能！

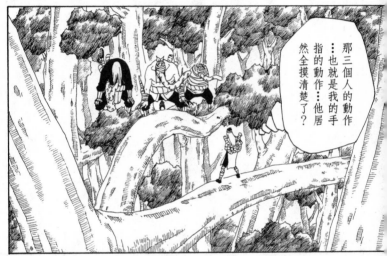

那三個人的動作⋯⋯也就是我的手指的動作⋯⋯他居然全摸清楚了？

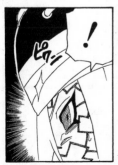

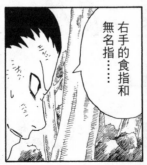

右手的食指和無名指⋯⋯

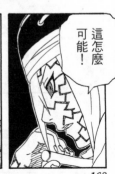

這怎麼可能！

還有左手的中指與小指所演奏出來的聲音…

能夠讓中間那個男的擺出前屈的姿勢…

就在妳躲過我的攻擊，並且尋找我的行蹤時，

妳手指的動作和他們所有的一舉一動……

我都作了徹底的觀察…並且進行記憶與分析。

可惡！

沒用的…

我已經用影子模仿術束縛住他們了。

可惡…

舉起

這盤棋妳輸定啦!

哼……

這次輪到我用妳的棋子來逼死妳了。

拔起

妳怎麼顯得這麼輕鬆啊?至少拿苦無出來應戰嘛!

我的武器只有這枝笛子!

我說過沒有任何聽過這首曲子的人,還能繼續活著!豬頭!

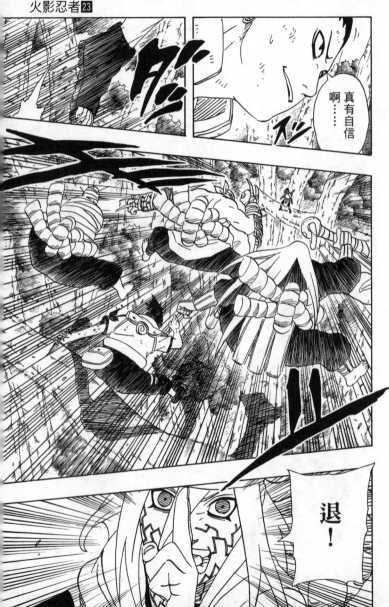

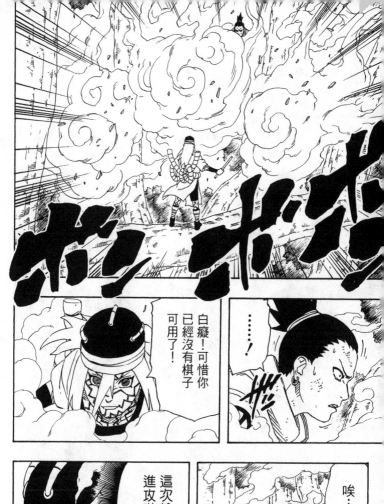

……！

白癡！可惜你
已經沒有棋子
可用了！

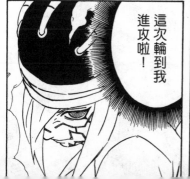

這次輪到我
進攻啦！

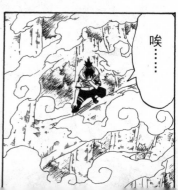

唉……

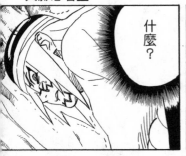

什麼？

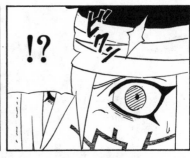

!?

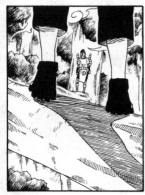

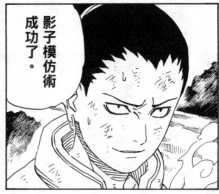

影子模仿術成功了。

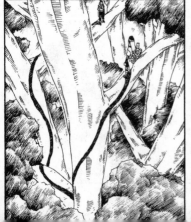

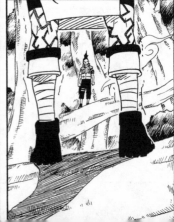

我說過我會用妳的棋子來逼死妳。

其實那三顆棋子是被我拿來當誘餌的。

第一手是騙對手的假動作，

第二手才正式進攻…這是攻擊的基本知識。

！

プルプル

這傢伙！

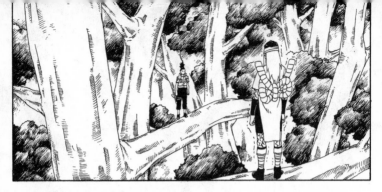

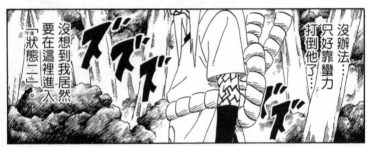

沒辦法…
只好靠蠻力
打倒他了…

沒想到我居然
要在這裡進入
「狀態二」。

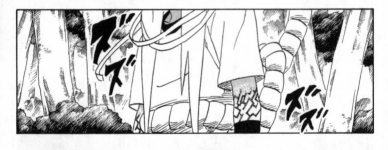

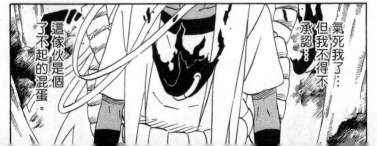

氣死我了…
但我不得不
承認…

這傢伙是個
了不起的混蛋。

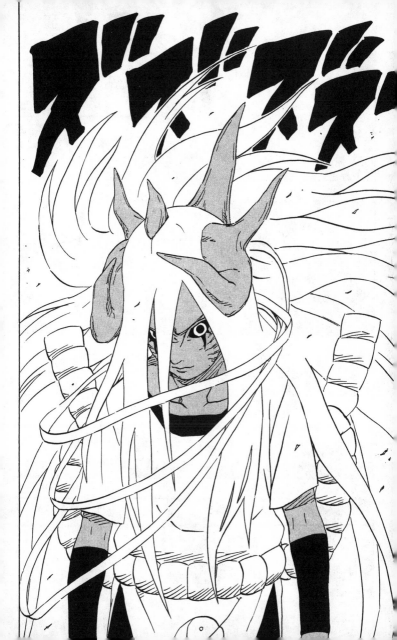

妳…
妳怎麼…

……

你的頭腦確實蠻靈光的，

不過接下來就無法像你所預測的那麼順利啦！

！？

怎麼可能？

她居然想靠自己的力量解開我的影子模仿術……那驚人的查克拉是怎麼一回事？

用那個術吧……

再這樣下去……影子模仿術會被解開。

萬一讓她逃走就糟了！不要再想要保留查克拉了！

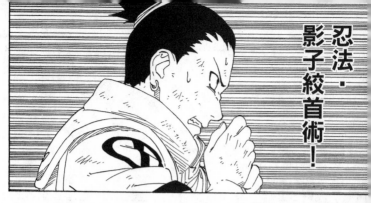

忍法・影子絞首術！

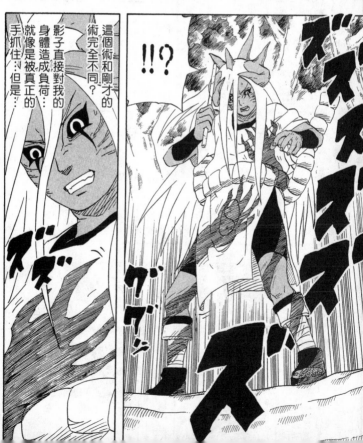

這個術和剛才的術完全不同？

影子直接對我的身體造成負荷⋯⋯就像是被真正的手抓住⋯⋯但是⋯⋯

!!!?

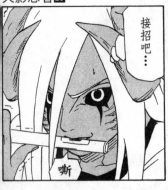

接招吧…

嘶

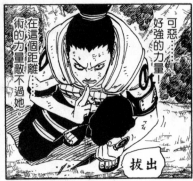

可惡，好強的力量！

在這個距離，術的力量敵不過她。

拔出

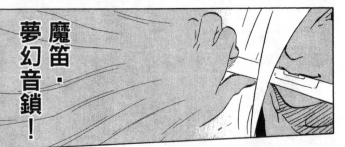

魔笛・夢幻音鎖！

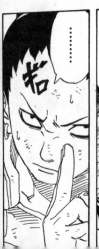

……………

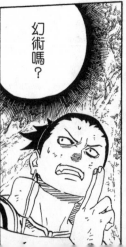

幻術嗎？

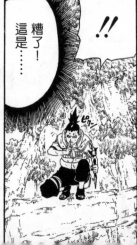

糟了！這是……

！！

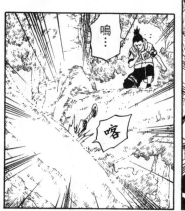
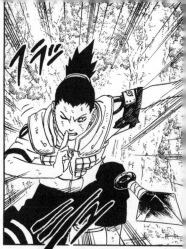
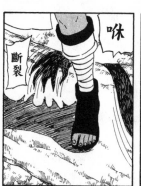
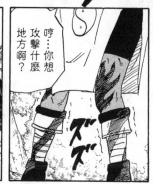
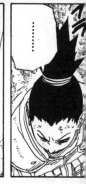
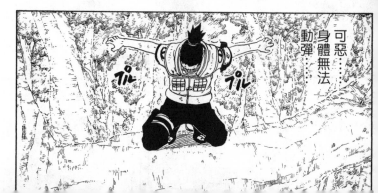

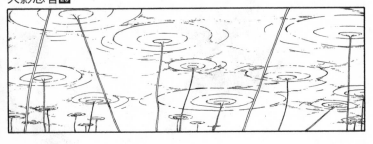

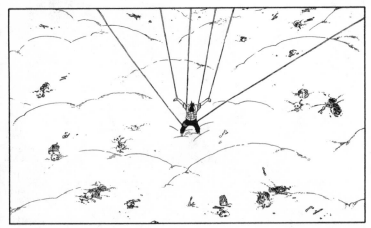

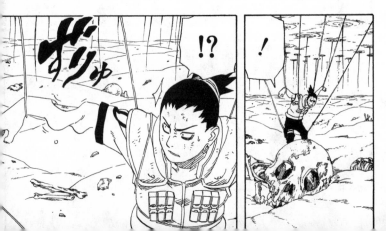

而這個幻術…就是最適合用在這傢伙身上的幻術…

呵呵呵…進入「狀態二」的我，能夠用笛子操縱數十種幻術…

哇啊啊啊啊啊啊啊啊！

……！

這幻術能束縛獵物的身體

藉此剝奪獵物的自由！

嗚…嗚啊啊啊
啊啊啊啊啊！

伸手

唔唔唔…

反過來被束縛的感覺如何啊？

去死吧…王八蛋！

怎麼……

!!!?

他打算靠這種痛楚來解開幻術嗎？

他……居然用自己的影子來折自己的手指……

喀啦

第二手才正式進攻，這是攻擊的基本知識。

我不是說過了……第一手是騙對手的假動作，

而且他還假裝自己中了我的幻術……

可惡！

不，並不是這樣……妳最大意的舉動就是告訴我「武器就只有這枝笛子」。

而且這次的第二手……又和剛剛不一樣，用「影子絞首術」時，只要距離施術對象越近，就能以越強的力量束縛對方。

咻咻…

…可惡…

我太大意了……居然輕易靠近你…

……!!

…… ⁉

難道……

沒錯……剛剛我把苦無射到眼前去…

就是為了讓妳去把它拔起來，並且接近我的策略。

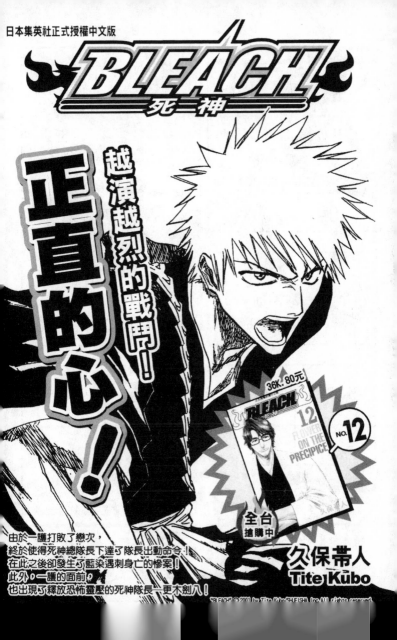

日本集英社正式授權中文版
東立出版社榮譽出品

光速蒙面俠

Eye-shield 21

戰士的願望！

能遇到值得一戰的強者！

為了封鎖外星人隊進行長傳，
瀨那衝上去打算撲倒外星人隊的四分衛，
但卻遭到強悍的攻防線阻擋而失敗。無法阻止傳球，
比數的差距越來越大，這時瀨那想到了某個戰略⋯

全省火速搶購中！

NO. 8

36K80元

Riichiro Inagaki　　Yusuke Murata
原作 稻垣理一郎　　漫畫 村田雄介

"EYE SHIELD 21" © 2002 by Riichiro Inagaki,Yusuke Murata/SHUEISHA Inc.All rights reserved.

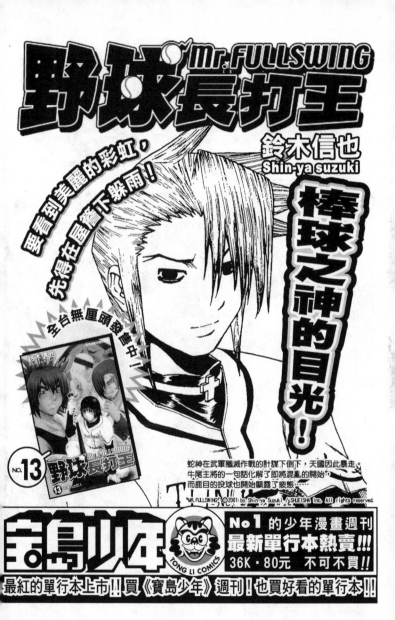

日本集英社正式授權中文版
東立出版社榮譽出品

"BUSOU RENKIN" ©2003 by Nobuhiro Watsuki/SHUEISHA Inc. All rights reserved.

JC08223 C0P192

火影忍者 ㉓

原名：NARUTO—ナルト—㉓

- ■作　　者　　岸本斉史
- ■譯　　者　　方郁仁
- ■執行編輯　　陳苡平
- ■發 行 人　　范萬楠
- ■發 行 所　　東立出版社有限公司
- ■東立網址　　http://www.tongli.com.tw
　　　　　　　　台北市承德路二段81號10樓
　　　　　　　　☎(02)25587277　　FAX(02)25587281
- ■劃撥帳號　　1085042-7（東立出版社有限公司）
- ■劃撥專線　　(02)28100720
- ■印　　刷　　嘉良印刷實業股份有限公司
- ■裝　　訂　　台興印刷裝訂股份有限公司
- ■法律顧問　　曾森雄律師　　　　曲麗華律師
- ■2004年9月25日第1刷發行

日本集英社正式授權台灣中文版

"NARUTO"
© 2000 by Masashi Kishimoto
All rights reserved.
First published in Japan in 2000 by SHUEISHA Inc., Tokyo.
Mandarin translation rights in Taiwan arranged by SHUEISHA Inc.
through ANIMATION INTERNATIONAL LTD.

版權所有・翻印必究
■本書若有破損、缺頁請寄回編輯部

ISBN 986-11-3638-X　　　　　　　定價：NT85元

TAIWAN CHINESE EDITION FOR DISTRIBUTION AND SALE IN TAIWAN ONLY
台灣中文版・僅限台澎金馬地區發行販售

W9-CTD-015